오염

오 염

김도운, 고서준 소설

목차

제1장

10년 후

그날도 여름이었다. 바깥 온도가 30도가 넘는 찜통 같았다.

그래서 그런지 경찰서 안에서는 18도로 온도를 내리고 있어서 바깥과 온도 차가 심했다.

'뚜르르르'

경찰서 전화가 왔다.

"여보세요?"

"서울. 실종사건. 수색 바람"

"확인."

이 날씨에 실종 사건이라니 나도 운수가 더럽게 없나 보다.

"실종사건 수사하러 가십니까?"

이 순경이 물었다.

"어, 서울로 간다, 서울지부에서 연락 왔어."

내가 밀렸다.

그러자 이 순경은 떨면서 말했다.

"서...서울은 10년 전 발전소 사고로 모두 철수한 걸로 알고 있습니다."

등 뒤가 오싹했다. 하지만 이 순경 앞에서 약해 보이기 싫었다.

"그.. 그렇지만 전화가 왔잖아. 누가 구해달라 하는 거겠지."

"역시 형사님 대단하십니다! 조심하세요. 그럼 잘 다녀오세요."

우선 집으로 퇴근했다. 선풍기 소리와 매미 소리가 거리를 채웠다.

'서울..? 서울을 가야해? 굳이 내가 맡아야 하는 일도 아니잖아.'

나는 다 먹은 아이스크림 막대를 씹으며 고민했다.

'그래, 가자 가, 서울로. 이게 내 직업이잖아.'

나는 내 선택이 옳은 것 같아 흐뭇해졌다. 그러다가 한 가지 생각이 더 들었다.

'그런데... 나 혼자 가면 나의 업적을 봐줄 사람이 없잖아. 그리고 나 혼자 가다가 무슨 일이 생길 줄 알고.'

나는 고민으로 밤을 새웠다.

서울로 갈 준비를 했다. 고민 끝에 몇몇 동료와 함께 가기로 했고, 물건, 그리고 권총도 챙겼다.

"야, 나 이거 먹어도 되지?"

강이안이 말했다.

"좀 닥쳐. 지금 서울로 가는데 무섭지도 않아? 나는 손발이 떨려서 운전도 못 하겠다고"

김준수가 소리 질렀다.

강이안, 남미경. 10년 전 서울 원자력 발전소 사고를 담당해 수사했던 12년 지기 친구다. 김준수는 모두와 초면인 내 동료다.

"잠시 후 동서울 톨게이트입니다. 요금은...."

"우리 진짜 들어가는 거야? 이거 찍어서 올리면 아웃스타 팔로워 늘겠다."

남미경이 말했다.

"어휴, 그놈의 아웃스타."

나는 SNS 중독자 남미경이 이해되지 않았다.

"띠링, 요금 800원이 결제되었습니다."

우리는 요금소를 지났다.

"아니 우리는 공무원인데 하이패스 요금까지 뜯냐."

강이안이 투덜댔다. 10년 전 그 사건과 같았다.

제2장
해결하지 못한 이야기

우리는 서울 주변을 돌며 실종자를 찾았다. 하지만 서울에서 사람 찾기는 모래사장 속에서 바늘 찾기와 같은 꼴이었다.

"사람이 있긴 한 거야? 장난 전화 아냐?"

강이안이 말했다.

"그.. 그러면 우리 이제 집에 가자…. 응?"

김준수가 떨며 말했다.

"근데 여기까지 왔으면 찾아보.."

말하고 있던 찰나 거리 구석에 앉아있는 사람을 보았다. 서울에 들어온 지 2시간 만에 바늘을 찾은 것이다.

우리는 차에서 내려 그 사람에게 갔다.

"아저씨, 실종신고 하셨죠?"

그 아저씨의 얼굴을 보자 우리는 경악을 금치 못했다. 얼굴은 형태를 알아볼 수 없을 정도로 이상한 벌레에게 파묻혀 있었다.

"으아악!"

김준수가 소리를 질렀다.

"악! 뭐야?!"

남미경이 소리쳤다.

우리는 일단 냅다 달렸다. 젖 먹던 힘까지 짜내 달렸다. 하지만 실종자는 빠른 속도로 쫓아왔다. 강이안이 하늘로 권총을 쏘며 위협하는 동안 우리는 차에 탔다.

"강이안! 빨리 타!"

강이안은 빠르게 달려 차 조수석으로 들어왔다.

"문 닫아!!"

재빠르게 문을 닫았다.

"그거 움직였어…. 움직였다고!!"

남미경이 고함을 질렀다.

준수는 몸이 얼 듯이 가만히 서 있었다.

.

.

.

우리는 어느새 남산타워를 지났다. 그동안 차 내부에서 정적이 흘렀다. 시동 소리, 벌레에게 잠식된 시민 몇 명이 기어다니는 소리만 들렸다.

그 정적은 원전(원자력 발전소) 앞에서 깨졌다.

"어? 야 저거 사람 아냐?"

강이안이 말했다.

나는 밖을 쳐다보았다. 진짜로 사람이었다.

벌레한테 먹히지 않은 사람, 진짜 사람.

우리는 차에서 내려 그에게 갔다.

"겨…. 경찰?"

그 사람이 말했다.

"가만있어봐."

남미경이 실종자의 흐릿한 사진을 보았다. 나는 그 사진을 흘끗 보았다. 저 사람과 똑같았다.

"차…. 찾았다…! 이제 집에 가자!"

김준수가 펄쩍 뛰며 기뻐했다.

"나는…. 여기…. 안나…. 갈래…."

"가셔야 합니다. 이곳은 위험합니다."

"여기…. 발전소…. 좋다…. 좋다…. 좋다."

그는 '좋다'라는 말을 반복하여 말했다.

버리고 갈 수 없었다. 그 순간 그 사람 등에서 벌레들이 기어 나오더니 순식간에 그의 얼굴을 감쌌다.

"뛰어! 달리라고!"

우리는 차로 뛰었다. 모두 달리는 그 순간 강이안의 고통받는 목소리가 들렸다.

"으…. 다리가…. 뭐에 걸린 것 같아…."

"괜찮아? 빨리 끌고 차에…."

"아니 괜찮아…. 따라갈게. 먼저 가."

강이안은 권총을 집어 들었다.
"덤벼라 이 망할 벌레들아!"
우리는 차를 타고 이동 중 총성과 누군가의 고함을 들었다. 그것이 강이안의 마지막인 것 같았다.
"이안….이안이가.." 남미경이 울먹였다.
준수는 말이 없었다. 아무래도 너무 상실감이 큰 것인가?
그런데 그렇다고 하기에는 너무 이상하다.

'준수는 이안이를 만난 적이 없는데 이안이를 왜 걱정할까?'

이런 의문이 들었다. 하지만 되려 생각해 보니 그냥 '준수 마음이 따뜻한 걸까?'라는 확신이 들었다.
"이안이는 살아 있을 거야..."
김준수가 속삭였다.
"준수 말이 맞아, 이안이 걔 쉽게 죽을 놈 아니야."
내가 말했다.
그래도 미경이의 얼굴은 어두웠다.

밤이 찾아왔다.

가까운 건물에서 밤을 보내기로 하였다.

미경이는 잠이 들었다. 나도 눈을 감으려던 찰나 준수가 입을 열었다.

"도준아..... 있잖아....."

"왜? 말할 거 있어?"

"어....그 대신 미경이한테는 비밀로 해줘...."

"알았어, 뭔데?"

나는 너무 졸려 건성으로 대답했다.

"이안이 내가 넘어뜨렸어."

준수가 조용하게 말했다.

아침이 왔다.

새 소리는커녕 아무 소리도 들리지 않았다. 우리는 차에 타서 거리를 배회하고 있었다.

"원자력 발전소가 저기다!"

남미경이 말했다.

"애들아... 우리 이제 집에 가자…."

김준수가 떨면서 말했다.

"쫄았어?"

김준수가 잠시 고민에 빠지더니 입을 열었다.

"쫄...쫄기는! 가자!"

우리는 발전소로 향했다.

.

.

.

우리는 발전소 안으로 들어갔다. 차에서 내리려던 순간 누군가 창문을 두드렸다.

강이안!

우리는 잽싸게 문을 열었다.

"나도 끼워주는 거지?"

강이안이 말했다.

"이안!"

모두 소리쳤다. 남미경은 소리를 질렀다.

강이안이 돌아왔다. 우리는 뛸 듯이 기뻤다.

그런데 강이안 얼굴에 큰 상처가 있었다.

"어...이거 뭐야?"

남미경이 떨리는 목소리로 물었다.

"아 이거 벌레 전염자와 싸우다 났어. 하여튼 빨리 안 쓰러져서 그냥 도망쳤어."

자세히 보니 이안이의 다리와 팔에도 상처가 있었다. 우리는 붕대를 이용해 이안이의 팔과 다리를 감쌌다.

그때, 원자력 발전소에서 벌레들이 나오기 시작했다. 준수가 몇 발을 쏘았지만 계속 나왔다.

"여기가 벌레들의 집인 것 같아."

남미경이 속삭였다.

"일단 차에 타!"

내가 소리쳤다.

준수, 이안, 미경이 모두 차에 탄 후 우리는 빠르게 도주했다.

무작정 달리다 보니 남산 앞이었다.

남산타워를 보니 서울 부지에서 근무에 하던 때의 일이 새록새록 떠올랐다. 나, 이안, 미경은 그 시절 모두 신입이었다. 꿈에 그리던 경찰이 돼서 좋았지만, 또 걱정되기도 하였다.

동기들과의 모임, 이안이와 갔던 중국 여행도 떠올랐다. 나, 이안, 미경은 각별한 사이였다.

그때는 선배들이 배려해 주고 도와주었다. 선배들이 없었다면 이 자리에 서지 못했을 것이다. 그때는 선배들의 귀여움을 받는 신입이었지만, 지금은 춘천 부지 가족의 가장이다.

나는 서울 부지에 있던 선배들처럼 되려고 노력 중이다. 그래도 나는 아직 부족한 것 같다. 나는 쉽게 짜증 내는 성격에 남 앞에서 약해 보이기 싫어하는 성격이다.

하... 그 순간 울컥했다.

이안이가 달려왔다.
"도준아, 괜찮아?"
이안이가 말했다.
"아니 서울 부지 때가 생각났어..."
내가 말했다.
"아, 그때 나는 네가 그때 순찰 나랑 같다가 뒷자리에서 맨날 자던 것밖에 생각 안 나는데, 하하…."
이안이가 말했다.
"크크, 너도 그런 덜렁한 면이 있네."
미경이가 웃으며 말했다.
이안이가 분위기를 깨기는 했지만 나는 계속 선배 생각이 났다. 몇몇 선배는 원자력 폭발로 실종된 사람을 찾다가 죽었다. 한 선배는 나의 대피를 돕다가 불길에 휩싸여 팔뼈가 드러났다. 그 선배는 죽었다. 나는 그때 뉴스를 보고 기겁했다. 선배는 나를 도와주려다 죽은 것이다. 나 하나 살리겠다고 훌륭한 경찰 한 명이 희생되었다.
곰곰이 생각해 보니 우리가 본 전염자와 선배가 매우 비슷하게 생겼다. 나도 선배가 실종되었지만 찾지 못했다고 했다. 설마 살아 있을 줄은 몰랐다.

'아.. 왜 실종자 목록에서 자세히 보지 않았을까....?'

나는 생각했다. 나는 그 선배가 맞는지 다시 보고 싶었다. 하지만 너무 위험해 보였다. 아니, 그 소굴에 들어간 리스크를 수습할 수 없을 것이다.

아직 정부 측에서 엄폐할 뿐 아직 조사를 시작하지 않았다. 왜 원전이 폭발하였는지, 그 사실을 왜 숨기려 드는지, 모두 대피했는 지 아무도 모른다.

아직 서울의 이야기는 해결하지 못한 이야기다.

제3장

기억

'서울로 들어간 경찰 인원 4명이 행방불명되어 정부는 현재 조사
중이라는 발표를 내세웠습니다'

"왜 들어가서 난리래?"

"근데 서울은 왜 막는 거야?"

사람들이 수군거렸다. 그중 민우는 한 가지 의문을 품었다.

'서울 안에 뭐가 있을까?'

민우는 잠시 머뭇거리더니 결심했다.

"서울로 간다."

"공부나 해!"

엄마가 민우에게 날카롭게 말했다.

사실 엄마가 뭐라 하든 상관없다. 서울로 간다.

내일 서울로 간다.

나는 아침에 일어나자마자 짐을 쌌다.

야구방망이, 물, 통조림, 그리고 인터넷이 터질지는 모르겠지만 핸드폰도 챙겼다.

나는 터미널로 향했다.

"아, 없다고 학생!"

"한 번만 알아봐 주세요, 네?"

"이미 서울 가는 길 다 막히고 이제 인천도 막혔는데. 뭘 어쩐다고!"

버스 기사 아저씨는 서울로 가는 길은 없다고 했다. 그때 터미널 내부 스피커에서 방송이 들려왔다.

"친애하는 부산시민 여러분, 현재 터미널 운행은 알 수 없는 바이러스로 인해 수원까지만 운행합니다. 다시 한번 알려 드립니다.…"

민우는 몇 분 동안 절망에 빠져 한참을 앉아있었다.

"하…. 씨… 진짜 수원으로 가서 서울로 가 말아?"

"이번 정류장은 수원대, 수원대학교입니다. 다음 정류장은…."

수원에 도착하니 여느 다른 곳과 다름없이 한가로운 느낌이었다. 오히려 사람이 많은 부산보다 편안할 정도였다.

"이제 서울로 가야 해."

하지만 쉽사리 역에서 발걸음이 떨어지지 않았다. 잠시 고민했다.

'오늘까지만 수원에 머물자, 그리고 내일 결정하는 거야.'

나는 내일의 나에게 결정을 떠넘기고 어느 모텔에서 하루 묵기로 했다.

밤이 찾아왔다. 배가 고파서 밥을 먹으러 나왔다. 무엇을 먹어야 할지 고민된다.

"서울로 가려면 어디로 가야 해요?"

어떤 여자가 아저씨에게 물었다. 보니까 내 또래 같았다.

"아니 이 학생이 미쳤나, 서울 지금 막혔다고!"

저 여자애도 서울에 가려는 것 같았다.

"그. 나도 서울에 가는데…."

"그래? 그러면 같이 가자! 내 이름은 정은우, 네 이름은 뭐야?"

"나. 나는 손민우야…."

그 순간 건물에 있는 전광판에서 방송이 나왔다.

"SBC에서 단독 보도합니다. 현재 서울에서 원인 모를 바이러스가 퍼진 것을 확인했습니다. 정부는 이 사실을 계속 숨기고 있다고 저희는 추측하고 있습니다."

그 순간 방송 화면이 꺼지면서 다른 방송이 나왔다.

"방송국들의 뉴스는 거짓입니다. 모두 집으로 돌아가세요."

"뭔가 끔찍한 일이 일어난 것 같아…. 너무 기대돼!"

내 생각에 은우는 뭔가 이상한 애 같다.

"저 뉴스 거짓말이겠지?"

내가 조심스럽게 말했다.

"아마도 그럴 거야"

은우가 말했다.

"그러면 우리 내일 여기서 만나는 걸로 하자."

"좋아, 그렇게 하자"

우리는 이제 헤어지고 은우는 상점가 안으로 사라졌다. 나는 다시 모텔로 돌아갔다.

그렇게 하루가 지나갔다.

.

.

.

"행정부에서 안내합니다. 현재 봉쇄 지역은 춘천, 서울, 인천, 파주, 용인시 기흥구 외 12곳입니다. 다음 소식은."

어제 만나기로 한 장소가 봉쇄되다니, 이 상황이 너무 짜증 나서 침대를 몇 번 때렸다. 우선 기흥 근처로 향하기로 했다. 발걸음을 옮기다 은우를 만났다.

"여기서 만나네, 너 뉴스 봤지? 기흥구 봉쇄된 거."

"나도 봤어, 우리 이제 출발하자."

내가 말했다.

"여기서 서울까지 6시간이야, 빨리 출발하자!"

은우가 힘차게 말했다.

"근데…. 수원 너머는 경비가 삼엄할 거야…."

내가 조심스럽게 말했다.

"그래서 우린 하수구로 갈 거야! 어때, 무슨 액션 영화 같지?"

은우가 자랑하는 식으로 대답했다.

하수구라, 은우 말대로 좀 멋있긴 하다. 어느 액션 잠입 영화의 요원이 된 기분이다.

우리는 하수구를 타기로 했다.

몇 시간이 지나서야 우리는 수원에서 탈출하게 되었다. 하수구 위에 있는 맨홀이 어디인지 알려주어 훨씬 수월하게 갈 수 있었다.

우리는 안양시에 도착했다. 우리는 지칠 대로 지쳐 있었다.

우리는 하수구 밖으로 나왔다. 감염된 사람의 떼가 있었다. 나는 순간적으로 야구 배트를 꺼내 그들을 기절시켰다. 바이러스가 하수구를 점령하면 전국이 감염될 확률이 있다.

"이제 어떡하냐…."

내가 걱정하며 말했다.

"영화처럼 차 같은 거 타서 갈래?"

은우가 신나는 말투로 말했다.

나는 많이 고민되었지만, 은우랑 알고 난 다음부터 이런 거를 할 수 있겠다는 자신감이 생겼다.

"그래 한번 해보자. 하지만 작전이 있어야 해."

내가 말했다.

"후, 내가 이렇게 될 줄 알고 작전을 세워왔지. 너는 야구 배트가 있잖아. 네가 배트로 계속 위협하는 거야. 그때 나는 내 머리핀을 꺾어서 차를 따는 거지."

은우가 흥분해 말했다.

"차 안에 어떻게 들어가는데?"

내가 지적했다.

은우가 잠깐 고민하더니 말했다.

"근처에 있는 돌로 창문을 부수면 되지."

은우가 말했다.

"오케이, 되겠는데 한 번 해보자."

내가 말했다.

나는 하수구 밖으로 나가자 즉시 감염자들을 위협했다.

그 사이 은우는 재빠르게 근처에 있던 우나타에 창문을 큰 돌로 부숴 들어갔다.

"차가 안 따져!"

은우가 소리 질렀다.

나는 은우에게 배트를 넘겨주고 차로 들어가 시동이 걸리게 했다.

"빨리 타!"

내가 소리쳤다.

은우가 빠르게 탔다. 은우는 자동차 게임을 많이 해보았다면서 운전석을 차지했다. 나는 가져온 지도를 보며 길을 안내했다. 1~2시간 뒤 양화대교에 도착했다.

서울이 코앞이었다.

우리는 내려 조용히 대교를 걸어갔다. 예상한 듯이 경비들이 있었다. 권총도 가지고 있는 듯했다. 우리는 살금살금 수풀 사이로 지나가 경비가 없는 곳에 왔다. 은우는 이런 상황이 올 줄 알고 준비했다면서 볼트 커터를 가방에서 꺼냈다.

"이게 집에 왜 있는 거야??"

내가 물었다.

은우는 대답하지 않고 철조망에 작은 구멍을 내고 있었다.

우리는 그 안으로 기어들어 갔다.

"서울 안에도 경비와 군인이 있을 거야. 지하로 접근하자."

은우가 속삭였다.

지도를 보니 가장 가까운 지하철역은 합정역이었다. 우리는 합정역까지 조심스럽게 걸어갔다. 우리는 개찰구를 뛰어넘고 2호선으로 갔다. 왜인지는 모르겠지만 다 열려있었다. 대피하고 닫지 않았나 보다.

"서울 시청으로 가자."

내가 말했다.

은우와 나는 서울 시청 방향으로 걸었다. 1시간쯤 걸어서 시청 근처에 도착했다. 우리는 의도치 않게 불빛을 발견하게 되었다.

"어, 저거 뭐야!"

은우가 놀란 말투로 말했다.

틀림없이 불빛이었다. 하지만 전기로 된 불은 아니었다.

"은우야, 좀 조심해."

내가 배트를 꺼내며 속삭였다.

은우는 내 말을 무시하고 불빛으로 달려갔다.

'뭐 그래도 볼트 커터가 있으니까'

내가 생각하면서 슬슬 걸어갔다.

"와, 진짜 사람이다!"

은우가 소리치는 게 들렸다.

나는 달렸다. 불빛 앞에는 천막집과 사람들, 은우가 있었다. 진짜 사람이었다.

그런데 천막이 가까워지고 빛이 보일수록 나는 한 가지 의문점이 들었다.

'과연 저들은 안전한 걸까? 혹시 경비와 한 무리가 아닐까?'

나는 이 의문점을 은우에게 말하려 했지만, 은우는 이미 그들의 앞까지 도착해 있었다. 나도 은우의 뒤를 쫓았다. 은우와 천막 마을의 장로 같은 사람이 대화를 나누고 있었다. 나는 그 대화를 몰래 엿들었다.

"여기서 원자력 발전소로 가려면 어디로 가야 해요?"

"왜 서울에 가고 싶은 거냐?"

"그건….'

은우의 망설임을 보고 나도 많은 생각이 들었다. 나는 왜 이곳에 왔는가, 단순한 호기심이 나의 발을 이곳까지 끌고 왔다. 그때 은우는 장로와의 대화를 끝낸 듯 보였다. 그러고선 나에게 왔다.

"가자, 저기로 가면 발전소 근처로 갈 수 있대."

"하지만…. 이제 돌아가자….'

결국 속마음을 말했다.

"여기까지 와서 돌아가기에는 좀 시시하지 않아? 노래 12곡만 부르면 가는 곳을 왜 그만둬, 한번 가보자."

"알…. 알겠어"

결국 은우의 말에 홀려 다시 발걸음을 옮겼다. 우리는 다시 합정역으로 나와 우나타의 창문을 한 번 더 부수고 올라탔다.

진짜 가는 거야? 가는 거냐고??

·

·

·

얼마나 왔을까, 시간을 볼 수 없다. 전파가 터지지 않는다. 앞은 보이지 않는다. 서울은 모든 불빛이 꺼져있었다.

내가 책에서 본 서울은 이런 모습이 아니었다. 원래는 불빛이 밤하늘의 별처럼 있어야 했다. 이곳은 아무 소리도 들리지 않았다. 이곳은 서울이다. 하지만 서울이 아니다. 그냥 벌레 시궁창이다.

"야, 야!"

은우가 나에게 소리를 질렀다.

"어···. 어···."

"저기 봐···."

은우답지 않게 소리를 죽이며 말했다.

나는 대수롭지 않게 창밖을 쳐다보았다. 원래 깨끗했던 거리가 사람들로 북적였다. 여기는 서울이 아니라는 걸 직감적으로 알게 되었다.

부산이다. 우리 집이 있는 거리.

"민우야! 피시방 가자!"

내 단짝 승호가 말했다.

"오늘도 카트라이더 하러 가자!"

또 다른 단짝 진우가 말했다.

"민우야, 이번에 만든 만두 남은 거 먹고 가라."

떡 만두 왕 만둣가게 사장님이 말했다.

지난날을 다 잊은 듯 부산에 몸이 잠기게 되었다.

그 순간 누가 내 등을 세게 내리쳤다. 어디 낯이 익은 여자아이였다. 그 여자아이가 나에게 말했다.

"이 미친놈아! 일어나라고!"

"억!"

나는 잠에서 깼다. 우나타 안이었다. 옆에는 나를 보고 당황하는 은우가 있었다.

"많이 아팠어? 살살 때린 건데...."

"아니 뭐 괜찮아…."

그때 내 눈에 눈물이 고여있는걸 볼 수 있었다. 몇 초간 우나타 내부에서 정적이 흘렀다.

"집에 가는 꿈을 꿔서 우는 것 같아…. 하하 바보같이."

"어...아 알았어! 하하 참 웃기다."

"이제 가자"

"기분도 풀렸겠다, 전속력으로 달리자!"

은우는 재빠르게 시동을 걸고 달리게 되었다. 속도 측정기는 어느새 속도 150을 찍었다.

"야…. 야! 서울 평균 속도는 70km…."

아 맞다, 우리밖에 없지?

"그게 무슨 상관이야? 그냥 달리자!"

우나타는 붕 소리를 세게 내며 거리를 질주했다.

잠깐 말하자면, 정부의 말과 달리 서울은 보기보다 끔찍했다. 사람은 합정역 이외 구역에서 보지 못했다. 정부는 왜 거짓말을 했을까?

"다음 소식입니다. 현재 서울에 방역작업을 대대로 시작한 지 2주째입니다. 정부는 '3달 내 서울을 되찾을 것'이라는 발표를 내놓았습니다. 그다음 소식은…."

라디오에서 소리가 나왔다. 얼마 뒤 소리는 끊기며 치지직 거리는 소리밖에 들리지 않았다.

"역시 안 들리네! 이 고물!"

은우가 라디오를 때리며 말했다.

"이제 다시 출발하자"

"알았어, 오늘도 방송 나왔네, 나날이 연기 실력이 늘어나는 듯"

밖에 아까 라디오에서 나왔던 방역작업을 하는 사람인가보다.

하지만 연기? 설마 그 방송은 거짓말이었나?

은우는 무언가를 집어 들었다. 야구 배트였다.

'이걸로 쟤네 기절시키자'

은우는 내게 손짓으로 말했다.

'저 사람들 정부 쪽 사람들이야, 너 큰일 나!'

내가 손짓으로 말했다.

'쟤네 총 있으니까 우리 그것만 얻고 도망가는 거지'

'그래서 더 위험하잖아!'

'나는 안 갈 거야, 너 혼자 가!'

'알겠어'

은우는 조심히 우나타 문을 열었다.

얼마 뒤 퍽 소리가 두 번 나더니 은우가 우나타 안으로 다시 들어왔다.

"이거 받아"

은우는 나에게 권총을 건넸다. 나는 권총을 집어 들었다.

"진짜 영화 같아, 하하"

나는 억지웃음을 지었다.

"이제 가자, 쟤네 일어나겠다."

은우는 우나타의 액셀을 밟고 출발했다.

- 같은 시각, 서도준 일행 -

"정부는 서울에 대대적인 방역작업을 시작하였습니다."

"이제 정부에서 나서는 건가?"

"너는 정부를 믿냐? 거짓말이겠지."

"정부 안 믿으면 누구 믿냐! 뭐 절당이라도 가서 기도할까?!"

김준수랑 남미경이 싸우고 있었다. 우리는 지금 남산타워에 있다.

"여기서 더 갈 거야? 아까도 봤으니까 알겠지만, 이 이후부터는 그 벌레들이 도시를 잡아먹었어, 이러다간 우리 살아서 나가지 못할 수도 있어,"

이안이가 말했다.

"여기 와서 돌아가는 건 아깝지 않아?"

내가 말했다.

"나는 이안이 말대로 돌아가고 싶어."

준수가 조심스럽게 말했다. 그 순간 라디오에서 소식이 울렸다.

"알 수 없는 형체의 무언가가 서울로 진입하는 걸 보았습니다."

"유성은 기자입니다. 이곳 서울역에서 남자, 여자가 들어가는 걸 보았다는 사람이 있다고 해서 와보았습니다."

기자의 말에 이어 어떤 남자의 말이 들렸다.

"어떤 중학생쯤 돼 보이는 학생 두 명이 우나타를 타고 가는 걸 보았어요, 근데 사람인지는 잘 모르겠어요."

이어서 기자가 말했다.

"혹시 괴물이 지성이 있는 거..."

기자가 말을 이어가던 순간 방송이 끊기며 굵은 목소리의 남자가 말하기 시작했다.

"서울에는 괴물이 없습니다. 서울은 안전합니다."

이후 라디오는 끊겼다.

"어휴! 이 고철 덩어리! 수원 가면 고철소에 팔아야지!"

남미경이 라디오를 때리며 소리쳤다.

"라디오는 이미 정부가 다 조작한 것 같아."

이안이가 말했다.

"그러면 우리는 완전 서울에 갇힌 건가…."

준수가 힘없이 말했다.

- 민우와 은우 일행 -

은우와 나는 우나타를 타고 달리고 있었다.

"뭔가 사람 한 명도 없으니까 무섭네"

은우가 몸에 소름이 돋은 듯 떨며 말했다. 그 순간 앞에 사람의 실루엣이 보였다.

"야 저···. 저기 앞···. 앞에!"

내가 소리쳤다. 우나타는 멈췄다.

"조심해, 괴물인 것 같아"

은우가 권총을 들고 조심히 갔다.

"야 이 괴물 놈들아!"

은우의 목소리와 총성이 울렸다. 은우는 반동으로 인해 우나타 운전석에 몸을 박았다.

"으아!"

누군가가 소리를 지르며 쓰러졌다. 괴물은 아닌 것 같다.

.

.

나는 배트를 들고 조심히 밖으로 향했다.

"뭐야! 너도 한패냐?"

30대 정도 돼 보이는 여자가 나에게 소리쳤다.

"아니요! 그런 거 아니에요!"

나는 오해를 풀기 위해 외쳤다. 하지만 너무 늦었다. 뒤에 있는 남자가 되어 총을 발사했다.

공포탄이었다. 경찰인 듯하다. 보통 일반인이 권총, 심지어 공포탄을 들고 있을 리 없다. 아무리 공포탄이어도 무서운 것은 마찬가지이다. 나는 배트를 내리고 양손을 들었다. 그들은 한 네다섯 명 정도 돼 보였다.

"왜 서울에 온 거야?"

건장한 체구의 남자가 말했다.

"아! 그게….."

사실 이유가 없어서 말하지 못한다.

'대충 변명하자.'

"저…. 잃어버린 동생을 찾으러 왔어요….."

나쁘지 않은 변명 같다.

"음. 그렇구나, 우리가 찾는 걸 도와주마."

아까 그 남자가 말했다.

"근데 당신들은 누구야?"

뒤에서 은우가 크게 말했다.

"우리는 경찰이다. 지금 서울로 왔지."

옆에 있는 말라 보이는 남자가 말했다. 그래도 경찰이라니, 다행이다.

"내 이름은 서도준이다. 네 동생 찾을 때까지 도와주마."

"감사합니다."

건장한 체구의 남성의 이름은 '서도준'인 듯하다.

"근데 민우야, 우리 동생 없…."

은우의 입을 틀어막고 우리 둘은 서로 눈치를 주고받았다. 은우는 알겠다는 듯 고개를 살짝 끄덕였다.

"보니까 네 이름이 민우인 것 같네, 나는 남미경이야, 물론 네 친구가 내 눈 하나 가져갔지만, 뭐 어때,"

남미경이라는 여자는 성격이 좋은 것 같다.

"소개하는 중에 미안하게 됐지만⋯. 이야기를 들어주겠나?"

어떤 할아버지가 말했다. 가만 보니 아까 지하철에서 본 것 같다. 그 마을의 이장인 듯했다.

"자기소개를 끝었으면 당신네 이름도 말해야 하지 않겠어?"

뒤에서 잘생긴 남자가 말했다.

"나는 해리슨이네, 손주랑 이곳에 여행하러 왔다가 손주를 잃어버렸어, 그래서 10년째 이곳의 이장을 맡고 있지."

"어째서 이렇게 되신 거죠?"

은우가 말했다.

"나는 10년 전 이곳으로 여행을 왔다. 내 손주가 하도 케이팝, 케이팝 그러면서 계속 오자고 조르는 거야. 그래서 내가 내 딸한테 꼭 가게 해주라고 했지. 그래서 나도 오랜만에 여행 삼아 같이 왔어. 도착한 이후 발전소가 터졌지, 뭐니. 딸이랑 사위는 먼저 대피했지만 나는 같이 가다가 손주가 생각나 찾으러 갔어. 하지만 이미 시간은 지나있었어. 결국 시청역으로 가 사람들과 지내고 있지, 한국어도 배우고."

할아버지가 말했다.

"한아버지 인생이 완전 블록버스터네"

은우가 말했다.

"지금 농담 따먹기나 할 시간이 아니야, 빨리 발전소로 가야 해."

서도준이 진지하게 말했다. 서도준 일행은 그들의 차에 탔고, 우리는 우나타에 할아버지와 탔다.

"이거 완전 재난 영화 뺨치네!"

은우가 기쁜 듯 말했다.

"그런데 우리는 왜 발전소로 가는 거야?"

내가 말했다.

"그건 가서 알겠지. 껄껄"

할아버지가 웃으며 말했다.

"할아버지 저는 민우예요. 손민우, 그리고 얘는 정은우예요."

내가 말했다.

"이제 가자!"

우나타는 붕 소리 내며 달렸다.

"어, 근데 기름이 없....."

끼익!

우나타는 괴상한 소리를 내며 멈췄다.

"기름이 없나 봐"

내가 말했다.

"설상가상이네"

할아버지가 말했다.

근처에 다른 차를 보았다. 먼지에 뒤덮여 있어 브랜드를 볼 수 없었다. 난 은우에게 말하고 다른 차에 뛰어올랐다. 다행히도 차가 움직였다.

"얼른 타!"

내가 소리쳤다.

할아버지와 은우가 재빨리 탔다. 차에 시동을 걸었다.

"이제 우리도 출발하자!"

은우가 소리쳤다.

"발전소로 출발!"

- 그 시각 부산시청, 2013 -

"야 이 새끼들이!"

임시 대통령실에서 소리가 울렸다.

"왜 그러십니까? 각하"

보좌관이 말했다.

"지금 그 경찰 애들 때문에 언론이 완전 난리잖아."

대통령이 소리쳤다.

"아이 2명이 더 들어갔다는 제보도…. 들어왔습니다."

비서가 떨며 말했다.

"하…. 이러다가 나 다음 선거에서 낙선하는 거 아니야…? 어쨌든 너희가 이 사건 잘 마무리해"

"알겠습니다. 각하."

보좌관은 이전보다 낮은 목소리로 말했다.

- 다시 서도준 일행 -

"거의 도착했네"

이안이가 입술을 깨물며 말했다.

저 멀리에서 연기로 만들어진 구름이 펼쳐졌다.

"발전소 주변은 다 저런가 봐"

이안이가 입술이 터진 곳을 어루만지며 말했다.

"맨몸으로 들어가면 아마 사체가 되지 않을까?"

준수가 조용히 말했다.

"지하철역에 방독면이 있어, 여기서 제일 가까운 원자력 발전소가 어디지?"

남미경이 핸드폰을 만지작거리며 말했다.

"여기서 제일 가까운 역은 수서역이야, 23km 거리에 있어."

미경의 말을 듣고 준수의 입에서 탄식이 잇따라 나왔다.

도준 일행의 자동차는 다시 움직였다.

"근데 발전소에서 뭐 할 거야?"

준수가 말했다.

"정부가 무엇을, 왜 숨기고 감추려 하는지 알아내야지."

강이안이 어깨를 들썩이며 말했다.

서도준은 보조석에서 잠이 들었다. 준수는 옆에서 잔소리만 늘어놓는 도준이가 자는 것을 보며 웃음을 자아냈다.

도준이도 꿈을 꾸었다.

'여기는 어디지? 나는 차 안에 있었는데'

도준이는 자신이 꿈속이라는 것을 알게 되었다.

순간 다른 세계에 와 있는 듯했다.

나는 사람들을 보았다. 사람들은 나를 보지 못하는 것 같았다. 나는 혼이었다. 어디선가 경보음이 들려왔다.

"현 시각으로부터 서울특별시에 공습경보를 발령합니다. 이것은 훈련이 아닌 실전으로 북한의 폭격에 대비하여…"

이후 사람들이 내 몸을 통과하며 달렸다. 아이가 우는 소리, 사람들이 소리 지르는 소리, 사이렌 소리 등 정신없는 소리가 서울을 휘감았다. 이후 폭격기 소리가 들려왔다. 위를 보니 폭격기가 하늘을 날아다녔다. 그리고 작은 폭탄이 원자력 발전소 위로 떨어졌다.

"퍼어엉!"

나는 불나는 발전소를 바라보았다. 사람 없는 유령도시 같았다. 하지만 이런 고요함도 오래가지 않았다. 이후 소방차와 경찰차가 사이렌을 울리면서 달려왔다. 그리고 10년 전 나, 서도준은 발전소 방향으로 뛰어갔다. 그 옆에는 손자를 찾고 있는 것 같은 할아버지가 보였다. 가만 보니 해리슨 할아버지였다. 아까 보았던 얼굴보다 젊어 보였다.

나는 10년 전 나를 따라 원자력 발전소로 향했다.

"도준아, 저기 크로우 바 좀 가지고 와"

"네…. 네!"

어떤 경찰이 10년 전 나에게 문을 파괴하는 도구인 크로우 바를 가지고 오라고 시켰다. 전시혁 선배였다.

"내가 먼저 들어가서 확인해 볼게, 너는 밖에서 기다려."

'안돼!'

아무도 내 말을 듣지 못했지만 나는 소리 질렀다. 그리고 그는 다시 나오지 못했다. 10년 전 나는 울고 있었다. 나는 트라우마로 인해 머리가 아파져 왔다.

눈앞에 장면들이 흐르더니 10년 전으로 나는 떠나있었다.

나는 꿈에서라도 선배를 찾으러 발전소로 들어갔다. 발전소는 생각보다도 더 처참했다. 모든 게 불타있었다.

그런데 안에서 목소리가 들려왔다.

"왜 나를 찾지 않는 거야?"

선배의 목소리였다. 나는 선배의 목소리가 들리는 방향으로 걸어갔다. 그곳은 원자력 발전소 상황실이었다. 문은 타버려서 재가 된 지 오래였다. 나는 조심스럽게 안으로 갔다.

그러자 몸에 반이 그 괴물에게 먹힌, 아니 잠식당한 선배가 있었다.

"서도준, 그 새끼부터 죽인다."

나는 잠에서 깼다.

- 그 시각, 손민우 일행 -

우리는 발전소 근처 동네로 왔다.

"여기가 맞네"

은우가 말했다.

"그 애들은 지하철로 가서 방독면을 구해온다고 말하더군"

해리슨 할아버지가 말했다.

나는 밖으로 나갈 준비를 했다. 차 문을 여는 순간 은우가 나를 조수석 방향으로 잡아당겼다.

"야…. 저기 앞에…."

은우가 조용히 말했다. 앞을 보니 몸에 반이 괴물인 남자가 작은 괴물을 흡수하는 모양이었다. 왜 내 인생은 운이 이 모양일까.

"다 온 겨?"

할아버지의 말이 들리자마자 괴물이 우리 쪽으로 일고여덟 개 정도

있는 눈으로 우리 차를 응시했다. 급기야 이쪽으로 다가왔다.

"거기 사람 있어요?"

괴물이 말했다. 아니, 반은 괴물이고 반은 사람인 무언가가 말을 걸었다. 나는 공포탄과 실탄, 그리고 9mm 권총을 집어 들었다. 그리고 조심스럽게 문을 열었다. 괴물이 나를 바라보았다!

- 그 시각, 수서역 -

잠에서 깼다.

애들은 다 방독면을 가지러 갔다. 수서역에서 원자력 발전소까지 17km 남았다. 난감하다. 나는 주머니에서 담배를 꺼냈다. 입에 담배를 대고 피려던 순간 나는 라이터가 이안이 가방에 있다는 것을 깨닫고 담배를 창밖에 버렸다. 떨어진 담배는 지하철역 환기구 아래로 떨어졌다. 나는 담배 대신 옆에 있는 자일리톨 껌을 씹었다.

"이제 담배도 끊어야 하는데…."

- 수서역 안 -

"여기 방독면 없는데"

이안이는 소리쳤다.

"상황실에 있을지도 몰라"

준수가 말했다.

"나는 가스실에 가볼게, 거기 작업자분들이 방독면을 쓸 수도 있잖아."

미경이가 안대를 만지작거리며 말했다. 그 후 남미경은 가스실로 향했다.

.

.

.

가스실은 어두웠다. 하지만 증기가 빠지는 소리와 모터가 돌아가는 소리가 들리고 있었다.

"방독면이 어디 있지?"

남미경은 흥얼거리며 방독면을 찾았다. 그리고 어딘가에 도착하자마자 코를 찡그렸다.

"어휴 썩은 내, 여기 환풍구인가 보네"

구역질 나는 바람이 계속해서 나오고 있었다.

"여기 너무 뜨거운데, 아까 옆 창고에서 방호복 입기를 잘했네"

위에서 계속 쓰레기가 떨어졌다. 그 사이에서 빛나는 무언가가 있었다. 담배꽁초였다.

남미경은 담배꽁초를 꺼내 들었다. 새것이었다.

"으…. 여기다가 이런 걸 버리면 어떡해"

이내 남미경은 꽁초를 뒤로 던졌다.

그 순간! 굉음이 들리며 발전기에서 연기가 나기 시작했다. 발전기의 가스로 불이 붙은 듯했다. 남미경은 재빠르게 뛰쳐나갔다. 그러고선 소리쳤다.

"다 나가야 해!"

남미경은 준수와 이안의 목덜미를 잡고 수서역에서 빠져나왔다. 밖은 고요했다.

"어 왔…."

"펑!"

수서역에서 강한 연기가 뿜어져 나왔다. 저절로 기침이 났다.

"빨리 차에 타!"

김준수가 쉰 목소리로 소리를 고래고래 질렀다.

"모두 차에 탔지? 방독면들은 다 타버렸지만"

강이안이 분위기를 띄우고자 개그를 쳤다. 하지만 아무도 웃지 않았다.

"이렇게 된 거 바로 발전소로 가야 해, 민우 만나러 가야지"

재가 수북이 쌓인 자동차는 출발했다.

제4장
희생

- 발전소 인근 마을 -

"아저씨는 그럼, 여기에 10년 있었던 거네요?"

은우가 기대에 차 말했다.

우리는 전시혁이라는 사람의 말을 1시간째 듣고 있었다. 할아버지는 근처 정자에 앉아 쉬고 계셨다. 평화로운 주말 같았다.

"그나저나 도준 일행은 왜 안 오는 거야"

은우가 속삭였다.

"왜 그러니?"

시혁이 말했다.

"일행이 오기로 했어요, 경찰이요."

은우가 말했다.

경찰이라는 말을 듣고 전시혁은 쓰러졌다.

9년 전, 사실 원자력 발전소는 북한이 터트린 게 아니었다.

공군이 에어쇼 준비를 하다가 떨어뜨렸다고 한다. 그 사실을 숨기기 위해 정부는 북한의 공격이라고 했다. 하지만 진실을 알아챈 서울시민들이 시위를 일으키고 현 대통령을 하야시키려 하자, 원자력 발전소에 알 수 없는 약을 풀고 그곳에 폭탄을 던졌다고 한다.

사실 서도준의 꿈은 진실이 아니었다. 원래 10년 전 서도준은 전시혁 선배를 밀친 주범이었다. 하지만 정부는 이 사실을 숨기기 위해 사법부에 서도준의 무죄를 요청했다.

이것이 정확히 8년 전이다.

.

.

.

"얘들아, 미안한데 혹시 그 경찰 새끼 이름이 서도준이니?"

전시혁이 조심히 말을 꺼냈다.

눈치 100단 은우는 나에게 신호를 줬다.

"아니요"

"미안하다, 아저씨가 오해했네. 하하,"

전시혁은 다행히도 더 캐묻지 않았다.

그 순간 자동차가 들어섰다. 서도준 일행이었다!

"오래 기다렸지? 말하자면 긴 이유가 있어서 그랬….."

서도준은 말을 끊고 옆에 있는 괴물을 바라보았다. 꿈에서 본 전시혁 선배였다. 서도준은 다리에 힘이 풀려 쓰러졌다.

"너 서도준이냐? 서도준 맞지?"

전시혁이 말했다.

"저...전시혁 경위님?"

서도준이 조심히 말했다.

전시혁은 해리슨 할아버지의 머리를 쳤다. 할아버지는 더 이상 숨을 쉬지 않았다.

"도준이였는줄 몰랐네, 머리에 피도 안 마른 놈들이 구라를 까서 몰랐어, 도준아 나 반갑지? 마지막으로 본 날이 7년 좀 넘었나."

서도준은 모든 것이 떠올랐다.

자신이 전시혁을 밀어서 죽인 것, 그리고 무죄를 받은 것.

"선배 그 일은 이미 오래….."

서도준이 말하는 동안 나와 은우는 조심히 뒷걸음질을 쳤다. 순간 온몸에 소름이 돋았다. 그 순간 뒤에서 굉음이 들리더니 무언가가 괴물의 머리를 뚫었다. 총알이었다.

뒤를 보니 강이안이 총으로 괴물의 머리에 구멍을 낸 것이었다.

"맛이 어떻습니까? 괴물, 아니 '전시혁' 경위님?"

하지만 괴물은 간지러워하지도 않았다. 오히려 비웃었다. 그리고 강이안 방향으로 성큼성큼 발을 옮겼다.

"네가 아주 죽고 싶어서 환장을 했지?"

"그래, 이 괴물아"

괴물은 강이안의 목을 잡았다. 그러자 강이안이 소리쳤다.

"너희 먼저 가, 나…. 나는 따라갈게"

강이안이 꺾이는 목소리로 소리쳤다.

"나는 너를 버리고 갈 수 없어"

남미경이 소리쳤다.

하지만 서도준은 강이안과 눈빛을 주고받은 후 남미경을 잡아서 차 쪽으로 끌고 갔다. 서도준, 남미경 눈에 모두 눈물이 흥건했다.

"안돼! 이거 놓으란 말이야!"

남미경이 발버둥 쳤지만 역부족이었다. 나랑 은우는 근처 아파트로 뛰어 들어갔다. 괴물은 우리를 보지 못했다. 다행이다.

나와 남미경은 차로 뛰어들었다. 김준수는 늦게 합류했다. 차는
소리를 세게 내며 앞으로 향했다.

"너…. 너 때문에 이안이가…. 이안이가!"

남미경은 나에게 달려들었다.

"나는 이안이의 눈빛을 봤어. 빨리 도망가라는 눈빛. 나도 처음엔
이안이를 말리려고 했어, 하지만 그 녀석, 어찌나 고집이 세던지,
그냥 우리 가래, 안 그러면 다 죽는다고."

나는 조심스럽게 말했다. 미경이는 말없이 눈물을 훔쳤다.

"산 사람은 살아야지, 안 그래?"

준수가 말했다.

"근데 여기 아파트는 주민이 사나 봐? 아직도 빨래가 걸려있고,
오지 말라고 바리케이드도 설치했잖아."

준수가 아파트를 둘러보며 말을 덧붙였다.

"근데 조용하잖아."

미경이가 눈물을 닦으며 말했다.

'진짜 누가 살고 있을까?'

제5장

버려진 도시

"꺼져! 꺼지란 말이야!"

주민들이 식칼을 들이밀며 소리쳤다.

"알겠으니까 그거 내려놓고 얘기합시다."

다른 주민 패거리가 말했다.

"너 내가 다시는 영광아파트로 오지 말라고 했잖아!"

영광아파트 주민들이 말했다.

"우리도 먹을 게 없어요, 좀 도와주세요."

주민아파트 주민들이 간절히 외쳤다.

"아 없다고 이 영감아!"

영광아파트 아저씨가 주민아파트 할아버지에게 칼을 휘둘렀다. 주민아파트 주민들은 뒷걸음질 치다 이내 도망가는 듯했다.

"저게 맞냐?"

은우가 속삭였다.

"아마도 여기 고립된 주민들인 것 같아."

"음식 달라고!"

총성이 아파트를 맴돌았다.

"우…. 우리 애가 아프다고…. 근데 밥도 못…. 못 먹…. 먹이 나?!"

총구는 곧 영광아파트 주민들에게 향했다.

"없다고 미친놈아!"

결국 아저씨는 총을 든 아저씨의 배에 칼을 찔렀다.

"으..으악!"

1층은 아수라장이 되었다. 서로 칼과 각목을 사용해 싸우는 주민, 서둘러 2층으로 올라가려고 안달인 주민.

"우리는 어떡해, 우리 차 연료도 이제 거의 남지 않았어."

내가 조심스럽게 말했다.

"우선 우리도 투항하자. 수틀리면 총도 있으니까."

나는 권총 탄창을 열고 공포탄을 집어넣었다.

탕!

사람들이 우리 쪽을 바라보았다.

"다 그만 하세요! 이제 실탄입니다."

은우의 실탄이라는 소리를 들은 주민들은 무기를 내려놓고 손을 들었다.

"근데 여기에 왜 온 거야? 아니, 그보다 어떻게 온 거지?"

영광아파트 아저씨가 말했다.

"그야 당연히 하수구…."

은우의 말이 끝나기도 전에 오토바이 소리가 들렸다.

"모두 집으로 들어가세요! 학생들은 지하실에 숨어!"

아줌마가 소리쳤다.

우리는 지하실에 숨었다. 그곳에는 경비아저씨가 있었다.

"왜 숨는 거예요?"

내가 조심히 말했다. 경비아저씨는 머뭇거리다 입을 열었다.

"괴물을 끌고 다니는 애들이야, 어디 아파트인지 모르겠어."

은우는 그 말을 듣고 입을 손으로 막는 시늉을 했다.

"이...이제 나.....나....나오....오세....오세요..."

누군가의 목소리가 들렸다.

나는 발걸음을 옮겼다. 그 순간 경비아저씨가 내 옷깃을 당겼다.

"저놈 불쌍하군…."

경비아저씨가 조용히 말했다.

"그게 무슨 소리…."

"나…. 나오라고 XX들아! 안…. 안 그러면 나…. 나 죽는다고 XX!"

의문의 목소리는 고래고래 소리 질렀다.

"이제 가야 한다고. 넌 이제 죽은 거야."

"XX! 죽기 싫어! XXXX들아 빨리 나오라고 X들아!"

"왜 숨지 않아서 저런 꼴을 당하는 거지…."

내가 말했다.

이후 오토바이 소리가 들렸다. 그제야 경비아저씨는 발길을 옮겼다. 나는 계단을 오르며 경비아저씨 말을 들었다.

"이곳에는 신분이 있어. 우선 갑. 아까 아저씨 봤지? 그 아저씨가 갑이야. 한 아파트를 대표하지. 그다음 신분은 을이야. 을은 갑을 따르는 사람을 뜻해. 마지막 신분은 무법자. 아까 오토바이 같은 놈들이야. 아무도 건드리지 못해."

....그렇다. 이곳은 대한민국이라는 국가 안에 있는 또 다른 국가다. 무조건 갑의 말을 들어야 하는, 신분제의 사회다.

"자 방을 내줄게. 오늘만 여기서 자고 다른 곳으로 가봐."

아저씨, 즉 갑이 우리에게 방을 내주었다. 1813호였다. 우리는 엘리베이터를 타고 올라갔다. 전기는 아직 흐르나 보다. 엘리베이터 창문을 보니 사람들이 있었다. 하지만 점점 위로 올라갈수록 사람 수가 줄더니, 15층 창문 밖은 아무도 없고, 피로 흥건했다. 우리가 가는 18층에는 '게스트실'이라는 글자만 있었다.

"들어가자, 나 너무 피곤해."

은우가 기지개를 켜며 말했다.

우리는 1813호 앞으로 갔다. 열쇠 구멍에 휴지 조각이 껴있었다. 문 앞에는 각종 전단지들이 붙어 있었다. 우리는 열쇠 구멍에 있는 휴지 조각을 빼고 열쇠를 넣었다. 하지만 문은 열리지 않았다.

"여기 몇호야?"

"1813호"

"맞는데…? 왜 안 열리지...."

그 순간 문이 활짝 열렸다. 나는 바로 권총을 집어 들었다.

"거기 누구 있어요?"

하지만 목소리는 들리지 않았다.

"흐익!"

은우가 소리쳤다.

집 안에는 벌레들이 꼬여있었다. 그 순간 무언가가 달려들었다. 나는 권총으로 그것에게 총알을 발사했다. 아니, 갈겼다고 해야 할까? 하지만 그것은 뜨끔하더니 다시 달려들었다. 은우가 화염병을 던졌다. 괴물은 굉음을 지르며 타들어 갔다.

"화염병은 어디서 난 거야?"

"그런 게 있어. 우선 여기선 못 자겠다."

맞는 말이다. 벌레 옆에서 잘 수는 없다.

"그럼 어디서 자야 하는데?"

"그걸 내가 어떻게 알아."

"뭐 옆방이라도 가볼까?"

나랑 은우는 옆방으로 향했다. 옆방은 도어락이었다.

"번호 뭐 눌러볼까?"

"1234"

도어락에 1234를 누르니 문이 열렸다.

"뭐야?"

"도어락으로 바꾼 지 얼마 안 됐나 봐."

우리는 안으로 향했다. 다행히도 안은 깨끗했다.

"망할 영감탱이, 진작 여기로 안내해주면 되는 거였잖아."

시계를 보니 벌써 밤이었다. 나는 거실에 누웠다. 먼지가 살짝 쌓

인 바닥이었다. 더럽다기보다는 포근했다. 베란다로 가서 하늘을 보
았다. 별이 보였다.

"서울에서 별이 보이네, 신기하다."

"인공위성 아니야?"

"…"

"….미안"

"이제 자야지."

은우는 한마디 후 바로 잠에 든 듯하다.

나는 쉽사리 잠에 들지 못했다. 그 순간 앞에서 무언가 다가왔다.
사람으로 보였다.

"왜 내 집에 왔니?"

집주인 같았다.

"죄송해요, 빈집인 줄 알았어요."

나는 조심히 입을 열었다.

"아니, 괜찮아. 근데, 여기 올 때 피 같은 거 많지 않았니?"

집주인이 섬뜩하게 말했다.

"네…. 좀 많더라고요."

"그럼 눈치를 챘어야지."

집주인은 말이 끝나는 동시에 망치를 들어 올렸다. 나는 주머니에
서 총을 집어 들었다. 그리고 과감하게…… 총을 집주인에게 쏘았다.
집주인은 죽은 것 같아 보였다. 은우는 총소리를 듣고도 깨지 않았

다. 나는 시체를 작은 방으로 밀어 넣고 다시 거실에 누웠다.

　돌아가고 싶다. 부산으로.

　아침이 되었다.

　"내려가자. 지하 주차장에서 차를 한 대 훔쳐서 가면 될 거야."

　은우가 말했다.

　우리는 엘리베이터를 타고 아래로 내려갔다. 우선 1층에서 키를 경비아저씨에게 줘야 한다. 그러기로 했다.

　나는 엘리베이터 전단지를 보았다.

> 안전한 대한민국, 바이러스 안전 국가
>
> 곧 서울로 지원이 옵니다!
>
> -행정안전부- 2013.02.11

　말도 안 되는 소리다. 그럴 리가 없다. 우리가 아는 것보다 대한민국은 훨씬 추악한 나라다.

　또 다른 전단지도 있었다.

역시, 거짓이었다. 보나, 마나 서울에서 나가면 죽는다. 군인들에게 괴물 취급당하며.

"지하 1층입니다."

은우는 엘리베이터 밖으로 나섰다.

지하는 예상외로 깨끗했다. 그래서 차도 없었다.

"차가 없네."

"그러니…."

말을 잇다가 비명소리가 들렸다. 순간 온몸이 굳었다.

"너도 들었어?"

은우가 말했다.

무서웠지만 본능적으로 앞으로 다가갔다. 소리가 난 곳 앞으로 가니 발전기실문이 있었다. 나는 권총을 치켜들었다.

은우가 문을 열었다. 안은 경기장처럼 보였다.

"내가 아래서 애들을 상대할게. 너는 위로 가봐."

은우는 집에서 가져온 식칼 여러 개를 들고 계단 쪽으로 손을 가리켰다. 나는 총을 치켜들었다.

"야 잠깐. 총을 나한테 줘야지"

은우가 말했다.

나는 은우와 무기를 바꿔 들었다.

"한 놈씩 들어와."

은우는 총을 들고 소리쳤다.

나는 계단 위로 올라갔다. 계단 위로 올라오니 사람들 말소리가 들려왔다.

"얼마 할 건데?"

"담배 3갑으로 할게"

"나는 소총 한 자루로 할게. 내가 만들었어. 아주 좋다고."

나는 칼을 꽉 쥐고 위로 올라갔다. 아까 본 아저씨가 있었다.

"뭐 하시는 거세요?"

내가 물었다.

"어…. 있었니? 자 일단 칼을 내려놓고 이야기하자."

아저씨가 말했다.

나는 칼을 내려놓았다.

"우리는 갑들이야. 서울에 고립되어 있을 때 생존자들 중 지식인들이지. 뭐 지금은 폭주족으로 토토나 하면서 시간을 보내고 있지만. 너도 한번 볼래?"

아래는 은우가 보였다, 달려오는 폭주족들에게 총을 쏘아대고 있었다. 섬뜩하게도 은우는 즐기는 것 같았다.

그 순간….

딸깍, 딸깍

은우의 권총이 탄창에 떨어졌다. 나는 근처에 보이는 소총을 들고 내려갔다.

"야! 저건 내 거야!"

어떤 갑이 말했다. 은우는 도망치고 있었다.

나는 문을 열고 들어갔다. 수많은 폭주족들이 은우를 둘러싸고 있었다. 다행히도 탄창은 있었다. 가장 가까이 있는 폭주족에게 총을 쏘았다. 폭주족은 허벅지 쪽에 총을 맞았다. 그 구멍에서 벌레들이 새어 나왔다. 폭주족들은 벌레에게 이성이 오염되어 엄청 폭력적으로 변했다.

"으악!!!!!!!!!! 저거 뭐야!"

은우가 소리쳤다.

"빨리 나가자."

내가 은우에게 손짓하며 말했다.

하지만 쉽사리 나갈 수 없었다. 갑들이 문을 잠가 버렸다. 누가 우리에게 거액을 걸었나 보다. 나는 은우에게 탄창 하나를 주었다.

"야. 우리가 이곳에서 빠져서 나가려면 죽이는 것에 죄책감을 느끼면 안 돼."

은우가 말했다.

나는 은우가 아무리 봐도 사이코인 것 같다. 뭐, 그래도 그게 맞는 거 같긴 하다.

"벌레 조심해. 머리, 배는 쏘지 말고. 벌레가 거기에는 엄청 많을 거야."

내가 말했다.

"오케, 나한테 소총 줘."

은우가 달라는 손짓을 하며 말했다.

"뭐?"

"달라고. 내가 너보다 잘 쏘잖아."

"어…. 그래."

나는 소총을 건네줬다.

"이제 시작하자."

탕!

폭주족들은 우리에게 달려들기 시작했다.

은우가 장전했다. 은우는 수많은 시체들을 만들고 있었다. 한 폭주족이 나한테 접근했다. 칼로 나를 찌르려고 할 때 총을 쏘았다. 폭주족이 쓰러지며 칼을 떨어뜨렸다. 나는 그 칼을 주웠다. 마른 피 범벅이었다. 나는 권총을 쏘며 칼을 던졌다. 우리는 대부분 쏘아죽이고 있었다.

한 폭주족이 따라오라고 했다. 뭔 끊어진 파이프들을 헤치고 어떤 공간으로 데려갔다. 그곳에는 되게 무섭게 생긴 사람이 있었다.

"곤니치와…?"

은우가 말했다.

일본인 같아 보였다. 그래서 은우가 그런 거 같았다.

그러자 대장이 말했다.

"영광 아파트 폭주족 수장 이치조다."

"일본인이신 거야?"

내가 물었다.

"그런 것 같은데."

은우가 답했다.

"15분 후에 시작이다. 빨리 준비해!"

옆에 있던 폭주족이 말했다.

"네? 뭐가요?"

내가 물었다.

"너희는 폭주족의 도전자야. 쇼다운을 시작해야지."

폭주족이 태연하게 말했다.

"네!?!?!?!?!??!?!?!?!"

.

.

.

.

.

.

.

.

.

.

.

"우리의 새로운 도전자. 정은우, 손민우!!!!!!!!!"

폭주족이 말했다. 목숨이 달린 싸움이 시작되었다.

여러 명의 폭주족이 우리에게 달려들었다. 우리에게 추가로 보급된 무기는 긴 칼 2자루였다. 은우는 소총을 나는 긴칼 1자루와 권총을 들었다.

"죽어라 XX!"

우리는 미친 듯이 총과 칼을 휘둘렀다, 총 30명을 죽여야 끝났다. 우리가 13명 쯤 죽일 때 내 권총 탄창이 떨어졌다. 나에게는 큰 시련이었다. 나는 이 긴 칼을 다룰 줄 모른다. 나는 마구 칼을 휘둘렀다. 몇 명이 맞아 죽었다. 나는 땅바닥에 있는 칼을 주어 던지기 시작했다. 22명쯤 죽였을 때 은우의 소총의 총알이 바닥났다. 은우는 당장 긴 칼을 집어 들었다. 총 없이 8명을 더 죽여야 했다. 우리는 4명쯤 더 죽였다.

"아악!!!!!!"

은우가 비명을 질렀다. 은우의 왼손 검지가 잘렸다. 은우는 방어밖에 할 수 없었다. 이제 나 혼자 4명을 더 상대해야 했다.

나는 3명을 순조롭게 죽였다. 하지만 이제 더 보이지 않았다. 그때 우리 앞에 이치조가 등장했다. 화려한 일본도에 마른 피범벅이

되어있었다, 마지막 폭주족은 이치조였다. 이치조는 은우가 아프면 빠져도 된다고 하였다. 하지만 은우가 일어서며 다시 칼을 집어 들었다.

"저 괜찮아요. 손가락 하나 잘렸다고 친구를 버릴 수는 없죠."

"고마워."

내가 답했다.

은우는 생각보다 씩씩했다. 이치조가 먼저 우리에게 돌진했다. 나와 은우 둘 다 피했다. 이치조가 다시 나에게 돌진하며 칼을 휘둘렀다. 나는 칼로 막았다. 이치조는 나에게 다시 베었다. 이번에는 아래로 찍는 공격이었다. 나도 자세를 바꾸어 막았다. 그때 은우가 칼로 이치조의 팔에 상처를 내었다. 피가 나왔다. 이치조가 은우쪽으로 등을 돌렸다. 나는 그 순간 작전이 생각났다. 내가 막는 동안 은우가 치는 것이다. 난 은우에게 빠르게 작전을 설명했다. 이 작전이 성공하는 것은 힘들었다. 한 5번 실패했다. 우리는 죽을 고비도 1번 넘겼다. 내가 막 죽으려고 할 때, 이치조가 등을 돌려 나를 죽이려 했다. 하지만 나는 피했다.

우리는 여러 차례 반복했다. 하지만 계속 실패했다. 그때 내가 이치조의 등의 상처를 냈다. 이치조가 쓰러졌다. 은우가 칼을 꽂아 넣었다. 이치조는 소리치며 쓰러졌다. 이치조의 허무한 죽음이었다.

그러자 수많은 폭주족이 몰려왔다.

"우리의 새로운 수장 정은우!!!"

폭주족이 소리쳤다. 이제 우리는 폭주족의 수장이다.

"안녕하세요! 저희는 새로운 폭주족의 수장 정은우입니다. 정말 영광이네요. 제가 폭주족의 수장이 되다니 살다 살다 별일이 다 있네요."

은우가 우렁찬 목소리로 말했다.

나도 따라 말하기 시작되었다.

"우리는 일단 이 아파트 지하에서 벗어날 것입니다. 이곳은 갑들의 도박장에 불과합니다."

폭주족들이 외쳤다.

"우리가 도박장이라고?"

내가 답했다.

"네, 제가 제 두 눈으로 보았습니다. 갑들은 당신들의 생명으로 도박하고 있습니다. 우리는 그들을 처단하고 서울을 구해야 합니다."

폭주족들이 아우성쳤다.

"우리는 갑을 죽일 것입니다."

우리는 식칼들을 창문으로 던졌다. 한 5분 후 창문이 깨졌다. 갑들이 우리에게 총격을 퍼부었다. 그때 폭주족들이 많이 죽었다. 나는 엄폐하다가 식칼을 주워 던졌다. 그때 총알 하나가 내 팔에 박혔다.

"아 XX!"

나는 그 자리에 쓰러졌다. 은우가 다행히 다시 나를 엄폐해 주었다. 내가 눈을 뜨고 있는 동안 갑 2명이 죽었다. 나는 죽을 것 같았다.

그때 앞에 엄마가 나타났다. 엄마가 울고 있었다. 나를 보고 있지 않았다. 검은색 옷을 입고 있었다. 그 앞에는 내 사진이 있었다. 그 순간 엄마가 내 앞에 다가오더니,

"힘내 버틸 수 있어."

엄마가 웃는 얼굴로 나를 바라보았다.

'그래, 나는 참을 수 있다.'

그렇지만 그러지 못했다.

내가 깨어났을 때 은우가 내 옆에서 울고 있었다. 우리는 다시 방에 와있었다. 나의 왼팔은 잘려있었다. 은우는 내가 깨어난 걸 보고 울음을 멈추었다.

"왜 우냐?"

내가 물었다.

"아…. 그냥"

은우가 둘러대며 말했다. 나는 방 한구석에 누워있었다. 폭주족도 옆에 있었다. 은우에게 시중을 들어주고 있었다.

"은우야, 뭐 하는 거냐?"

내가 물었다.

"우리가 전투에서 이겼어."

은우가 말했다.

"진짜?!"

내가 물었다.

"응, 이제 우리가 대장이야."

은우가 말했다.

"네, 당연하죠."

폭주족이 말했다.

이제 폭주족은 우리 편이다. 전시혁을 죽이는 데 큰 도움이 될 것이다. 천군만마를 얻은 느낌이다.

제6장

경찰의 의무

내 이름은 이윤민. 나는 서울로 왔다. 이모와 싸우다 가출했다. 꿈은 딱히 없었다. 나는 왕따였다.

　"이윤민 XX X나 약하네?"
　"그러니까, 낄낄."'
　"야, 편의점 가서 담배 좀 사 와 주라, 우리는 '친구'잖아?"
　준동이랑 강우가 말했다.
　"어…. 어, 담배는 우리가 피우면 안 되는 거잖아."
　맞는 말이다. 하지만 준동이는 얼굴을 찡그리며 내 어깨를 밀쳤다.
　"아..아악!"
　"그만해, 애 운다. 흐흐."
　강우가 말했다.

나는 왕따다. 아니, 정확히는 왕따였다.

"그만해…."

"야, 이 찐 XXX가"

"그만하라고 XX!"

"야, 나 죽이게?"

준동이가 말했다. 나는 준동이를 밀쳤다.

.

.

.

내 인생은 서준동 새X 때문에 망했다. 나는 집행유예 2년을 선고받았다.

"아들이….우리 아들이…"

엄마는 스트레스로 입원하셨다. 아빠는 술만 마시다 음주운전으로 돌아가셨다. 아빠의 장례식장에 갔다.

"너 때문에 XX 내 동생이!"

이모는 나에게 술병을 집어 던졌다. 술병은 내 머리를 맞고 튕겨 나가 바닥에서 굉음을 내며 깨졌다. 나는 장례식장에서 나와 달렸다.

'엄마, 내가 꼭 경찰 돼서 강우 그 새X 인생 망하게 할게'

나는 인생 처음으로 꿈을 정했다. 그리고 이름을 개명했다.

'선시혁'으로

나는 경찰이 되었다.

그리고 가을이 되고, 또 가을이 오고⋯. 4번째 가을에 내 인생이 바뀌었다.

"안녕하십니까! 저..저는 이곳 구리지부에 발령된... 서도준 이라고 합니다!"

서도준, 내 인생의 두 번째 시련. 서준동의 동생이다. 내 기억에서는 서도준 이놈도 자기 형이라고 나를 방관했다. 하지만 다 옛날 일이다. 나는 강우만 잡으면 된다.

"전시혁 선배님, 저희 형 있지 않습니까, 정말 대단합니다."

"?!"

서도준이 서준동의 이야기를 꺼냈다. 나는 주먹에 힘을 주었다.

"우리 형이 막 패싸움 이기고 그랬다는데..."

순 거짓이다. 서준동은 은근 아싸다. 그러니까 나를 괴롭힌 것일 수도 있다.

그 순간 사이렌이 울렸다.

"북한의 공습. 공습경보를 알려 드립니다.

이것은 훈련이 아닌 실전이며, 대피하시길 바랍니다."

"서울 원자력 발전소에 폭격이다!"

나는 달려 나갔다. 발전소는 검은 연기로 덮여 있었다. 차를 타고 가며 서도준이 말했다.

"그런데 우리 형이 실종됐어요, 그래서 경찰이 된 것에요."

'네 형 내가 죽였어.'

라고 말하고 싶었다. 하지만 말할 수 없었다.

"그래서 형을 그렇게 만든 사람을 가만 안둘 거에요."

" …."

말하면 안 된다. 나는 더 이상 이윤민이 아니다. 전시혁이다.

"너희 형 죽인 사람 신상 나왔잖아."

앞에서 진서 경정님이 말했다.

그 말을 듣고 서도준의 얼굴이 굳었다.

"이름이 뭔데요?"

"이윤민, 지금은 개명해서 전시혁…… 시혁이랑 동명이인이네?"

서도준이 나를 째려보았다.

"나는 아닌데?"

나는 고개를 흔들며 말했다.

"자 애들아, 내려서 사람들 못 오게 하고 수습부터 해."

나는 차에서 내린 뒤 달려갔다.

"할아버지 여기 이상 들어 오시면 안 돼요."

"I lost my grandson please, I want to enter there."

할아버지는 외국인인 듯했다. 나는 미숙한 영어로 말했다.

"I'm sorry but I can't"

할아버지는 내 말을 듣고 꺼이꺼이 울었다.

뒤에서 서도준이 왔다.

"경위님 우리 안쪽으로 가야 해요."

"그… 그래"

나는 서도준을 따라서 안으로 갔다.

"경위님…. 아니, 야."

서도준은 반말로 말했다.

"네가 우리 형 죽였어?"

"뭐…뭔소리야 도준아…."

"네가 우리 형 죽였냐고!"

서도준은 나를 밀쳤다.

나는 휘청이다 뒤로 떨어졌다.

그 순간 눈앞에 서준동이 나타났다.

"크크 XX은 커서도 XX이네."

"아니, 이제는 너도 XX 같은데."

나는 권총으로 서준동의 머리를 조준했다. 그리고 쏘았다. 총알은
준동의 머리를 통과해 서도준의 발에 맞았다.

공포탄이었다.

"이제는 내가 승리자야."

전시혁이 말했다.

문득 이런 생각이 들었다.

'과연 이게 맞는 행동인가?'

'나는 결국 자기만족을 위해 경찰이 되지 않았나?'

'이게 경찰인가?'

'과연 이게 경찰의 의무인가?'

나는 이제 더 이상 살 의미가 없다.

나는 여전히 XX이다.

나는 발전소 아래로 떨어졌지만, 죽지 않았다.

나는 총을 꺼내 들었다.

그리고 머리에 총구를 들이밀었다.

총을 쏘았다.

아니, 죽지 않았다.

내 몸은 방사능에 삼켜져 변이 되었다.

그리고 내 인생 두 번째 꿈이 생겼다.

'서도준을 죽인다.'

나는 거리를 활보했다.

계속 걸어도 배고프지 않았다.

그 대신 목이 말랐다.

그럴 때마다 편의점 물을 마셨다.

8년 전 서도준이 서울에 왔었다.

나는 봤다.

서도준은 날 보고 기겁하면서 권총을 쏘아댔었다.

아직도 맞은 곳이 아프다.

그리고 항상 이 시간, 약 저녁 8시쯤

잠이 왔다.

- 도준의 시점 -

"이제 돌아가자."
준수가 말했다.
"아니, 계속 가야 해."
내가 말했다.
"도준아, 네가 진짜 X지고 싶지?"
준수가 총을 꺼내 들었다.
"으악!"

꿈이었다.
다른 애들은 자고 있다. 아무도 모른다. 이 꿈은 불안하다. 준수부터 죽인다. 그래야 한다. 준수는 항상 나를 경멸했다. 나는 준수를 등에 업은 채로 아파트 옥상으로 올라갔다. 그리고 준수를 밀었다. 준수는 땅으로 떨어졌다.
나는 다시 내려갔다.

다음 날 아침, 미경이는 준수가 사라진 걸 보고 놀랐다.

"준수가 어디 갔지?"

"아마 먼저 간 것 같아."

"그렇다기엔 준수 차가 아직 있는데…."

아차, 그 생각을 못 했다. 빨리 다른 변명을 대야 했다. 걸어갔을 수도 있다고 해야겠다.

말하려던 순간 미경이가 소리 질렀다.

"꺅!"

준수였다. 준수는 피를 흘리지도 않고 죽어있었다. 준수는 나를 바라보고 있었다. 등에 소름이 돋았다.

"주…준수가…"

나는 미경이의 등을 토닥여 주었다. 그러고선 주차장 턱에 앉았다.

나는 경찰이 아니다.

나는 살인자다.

내가 진짜 미친 것 같다.

어떻게 내 손으로 내 친구를 죽일 수 있는가?

미경이가 울고 있는 틈을 타 도망갈 거다.

미경이까지 죽일 순 없다. 나는 최대한 빨리 달렸다.

- 준수의 시점 -

아무도 내 이야기가 궁금하지 않을 것이다.

여긴 의정부 교도소니까. 무슨 죄로 왔냐고?

국가 기밀 유출죄다.

사실 경찰인데 이런 죄가 있는 줄 몰랐다.

내가 왜 국가기밀.... 뭐시기인 이유는 내가 서울의 진실을 알려서이다. 나는 서울에서 실종신고 전화를 받았다. 그리고 서울로 갔다. 하지만 서울은 황폐화가 되었었다. 그래도 사람은 구해야 했기에 들어갔다. 그곳에서 끔찍한 광경을 보았다. 산 사람과 알 수 없는 괴물들이 같이 돌아다니고 일부 사람들은 신체 어딘가가 없는데도 돌아다닌다. 마치…. 방사능에 오염된 물고기처럼….

내 이름이 뭐냐고?

나는 '김준수'다.

처음에 원전이 터졌다는데, 나는 춘천지부여서 소식만 알게 되었다. 그리고 그때 알게 되었다. 물론 6년 전이 훨씬 끔찍했겠지만, 아직도 끔찍한 건 마찬가지다. 나는 실종신고 전파가 마지막으로 흘렀던 곳으로 갔다. 서울 송치원 즉, 소년원이었다.

원전 근처여서 피해가 심할 것 같아 방독면을 썼다. 그리고 소년원에서는 수많은 글자와 손톱자국이 가득했다.

'살려줘....' '애들이 미쳤어.' '배에 벌레가….'

"와…. 곤지암이 따로 없네…."

등에 소름이 돋았다.

소년원에 있는 방송실로 찾아갔다. 방송실은 조용했다. 음산한 분위기가 흘렀다. 나는 전화기가 어디 있는지 찾아보았다. 그리고 옆에 있는 전화기를 만져보았다. 전화기는 소리가 나지 않았다.

"그럼 어떻게...."

나는 전화선을 찾다 알 수 없는 종이를 찾았다.

2013.04.04.

현재 소년원 남은 인원 230명.

변이를 일으키고 있다.

염산가스가 변이 생명체에게 약점인 듯하다.

다행히 지하실에 염산은 가득하다.

다른 종이도 있었다.

2013.04.05.

나는 염산으로 변이한 애들을 죽였다.

남은 아이들은 나를 끔찍하게 여긴다.

그리고 거울을 보았다.

내 일굴은 녹아..

아무래도 박사도 감염된 것 같다. 나는 종이를 증거로 가방에 넣었다. 그리고 계단을 내려가는 도중 어떤 소리를 들었다.

"살려 주세요...."

나는 소리가 나는 쪽으로 갔다. 사람이었다. 12살 정도 되어 보였다.

"살려 주세요…."

나는 발걸음을 옮기다 멈칫했다. 사람 목소리가 아니었다. 정확히는 사람 목소리가 약간 꺾이는 목소리였다.

나는 서울에서 뛰쳐나갔다.

그래서 서울에 대한 트라우마가 심했다.

얼마 전 도준이가 서울에 가자고 했다.

나는 처음엔 거절했지만, 도준의 강요로 갔다.

그리고 지금 옥상에서 떨어지고 있다.

나는 자연스레 눈을 감았다.

- 도준의 시점 -

나는 근처 지하철역 아래 몸을 숨겼다.

문득 이런 생각이 들었다. 과연 이게 맞는 행동인가. 나는 결국
내 만족을 위해 경찰을 하지 않았는가. 이게 경찰의 의무인가?

나는 주머니에서 권총을 꺼내 내 머리에 조준했다.

"끄...끄윽…. 난 살인자야…."

"넌 살인자가 맞아 큭"

목이 뒤틀린 준수가 말했다.

"여러 사람 인생 조져놓으니 기분 좋겠다? 크크큭"

피를 흘리는 전시혁이 말했다.

"너... 때문에..... 내가...."

이안이가 말했다.

"미....미안해.....!"

나는 달렸다.

아무도 없지만 누가 쫓아 오는 기분이었다.

서도준 형사님께.

안녕하세요? 저 이 순경이에요.

지금 여기는 엄청 시끄러워요.

서울의 비밀을 알려달라나, 뭐라나.

얼른 형사님이 하루빨리 서울에서 뭔가 찾았으면 좋겠네요.

몸조심하세요.

-2023.2.14 이 순경

.

.

.

.

서도준 형사님께.

형사님 지금 이쪽으로 괴물들이 오고 있어요.

양평 인근에서 사고가 터졌나 봐요.

전 이만 가야 할 거 같아요.

-2023.3.22 이 순경

- 이 순경의 시점 -

나는 펜을 내려놓았다. 이제 다시는 편지를 쓰지 않기로 했다.

"편지를 쓰면 답장이라도 해야지!"

나는 편지를 찢어버렸다.

"행정부는 서울에 진실을 알려달라!"

"서울로 가자!"

밖에서 사람들이 시위하고 있었다. 앞에는 정부에서 온 군인들이 진압봉을 들고 서 있었다.

"때려!"

군인들은 진압봉으로 시민들을 때리기 시작했다.

"아…! 군인이 이래도 되는 거야?"

어떤 노파가 소리 질렀다.

"할배, 할배도 맞아야 정신 차리지?"

군인들은 최루탄을 쏘아댔다.

"꺅!"

사람들의 비명이 들려왔다.

하지만 오늘 정도는 가벼운 일이다. 얼마 전에는 총을 쏘기도 했다.

"진짜..... 이게 맞는 일인지도 모르겠다..."

"얼마 전에는 부산에서 경찰도 파견했다는데, 곧 우리도..."

소름이 돋았다.

그 순간 경장님의 목소리가 들려왔다.

"시위가 너무 위험해서 우리도 춘천시로 간다."

우리는 현재 춘천 서면에 있다. 사람도 더럽게 없어서 지루하다. 오랜만의 시내에 나간다니, 구경이나 해야겠다. 나는 발걸음을 옮겼다. 시위하는 사람이 엄청 많았다. 춘천시민 다 모인 것 같았다.

"서울 통행 개방해라!"

"개방해라! 개방해라!"

"우리는 방패 들고 있다가 최루탄만 쏘면 돼."

최 경위님이 말했다.

길 위에 노란 선을 넘으면 최루를 쏘면 된다.

"아들아!"

갑자기 어떤 아줌마가 뛰어왔다.

"안 갈기고 뭐 해!"

"그치만...."

"니 그딴 마음 가지고 경찰 했어?"

"그게 아니라..."

"탕!"

아줌마는 최루를 다리에 맞고 쓰러졌다.

"이 X끼야, 머리를 쏘라고 머리!"

"경찰이 사람을 쐈다!"

"꺅!"

"도망쳐!"

시내는 아수라장이 되었다. 사람들은 자기 자신 도망가느라 바빴다.

"지금 도망가는 애들 다 쏴!"

경찰 몇 명은 망설였다. 그러자 본부장이 강 경위의 권총을 꺼내 들었다.

"탕!"

어떤 아저씨의 등에 맞았다. 아저씨는 쓰러졌다.

이후 본부장은 사형선고를 받았다.

하지만 우리나라는 사형 폐지 국가다.

이후 무기징역, 20년….

결국 1년 6개월 형을 받고 해고당했다.

.

.

.

아직도 그날을 생각하면 끔찍했다. 나는 본부장을 대신해 정신병원에 있는 아저씨의 유가족을 만나러 갈 것이다.

아직 여름인가보다. 나는 곤지암 남양 신경 정신병원으로 향했다.

"근데 곤지암 병원 철거했지 않아요?"

"주변에 유가족 집이 있대, 거기 들러서 같이 가."

"아... 네..."

괜히 걱정했다.

"그러게, 어제 곤지암 영화는 괜히 봐서...,"

"아이고 드디어 오셨네요...."

노파분이 말했다.

"아, 예…. 혼자세요?"

"손주 방금 올라갔소이다, 아니 부산으로 내려갔다 해야 하나?"

노파는 혼자 웃었다.

"아…하하하"

나는 어색한 웃음을 지었다.

"그럼 출발합시다."

내 말이 끝나기도 전에 노파는 고개를 끄덕였다.

차는 덜컹덜컹했다.

'이놈의 똥차 확 바꿔버릴라.'

"근데 청년, 차가 좀 승차감이 별로네…?"

노파가 장난 섞인 말로 했다.

"아, 예 하하…."

"이 돈 주고 이 차 살 거면 돈 더 보태서 벤X E클래스…."

노파가 벤X, 벤X 거리며 비꼬았다.

'아오. 저 늙은이를 때릴 수도 없고….'

"젊은이 혹시 막 나 때리려고 생각하는 거 아니지? 하하"

딱 들켰다.

그래 때리고 싶다!

한번 경찰이라는 직업 때고 때리고 싶다!

'목적지에 도착했습니다.'

내비게이션의 소리가 울렸다. 정신병원이라기엔 건물이 음산했다. 간판에는 '精神病院'이라고 쓰여 있었다. 한자는 읽을 줄 몰랐지만 대충 정신병원이라고 적혀있겠지 추측했다.

"다 왔구려, 얼른 내려 우리 아들 봐야지."

나랑 노파는 정신병원 입구로 달려갔다. 병원 안은 깨끗했다.

"우리 호준이 어디 있어요?"

노파가 직원에게 물었다.

"정호준 씨는 폐쇄병동에 계십니다."

직원에게 2000이라고 적혀있는 키를 받았다.

"폐쇄병동은 저기 언덕 위에 있습니다, 그리고 이것도,"

직원이 테이저건을 내밀며 말했다.

"이건 왜..."

"그쪽에는 탈출한 일부 환자들이 있을 수 있어요, 전기 충격으로 생긴 사고는 저희가 처리할 테니 쓰세요."

나와 노파는 전기충격기를 집어 들었다.

언덕을 걸어 오르고 있었다. 노파는 의외로 체력이 강한 것 같다. 한 언덕을 지나니 작은 건물이 보였다.

"호준 씨 찾으러 오신 분 맞으십니까?"

앞에는 총을 들고 있는 군인이 있었다. 실탄이 아닌 마취제였다.

"들어가세요."

노파는 서둘러 들어갔다. 나는 노파를 따라 들어갔다. 안에는 호준 씨가 있었다. 복부에 붕대를 감고 있었다.

"아들!"

"어머니!"

둘은 면회실에 앉아 이야기를 나누었다.

.

.

.

한참 이야기가 진행되던 와중 의문점이 들었다.

"사고 일어난 지 3달쨌는데 아직도 붕대를 차고 있으시네요?"

내 말을 듣고 호준 씨는 나를 쳐다보았다.

"아... 아직 복통이 조금 있고 가려워서..."

호준 씨는 말을 더듬었다.

무언가 이상했다. 그리고 말을 더듬는 것도 약간 변명 같았다.

"저 화장실 좀…."

"아, 예, 다녀오세요."

나는 화장실에서 세수했다.

그 순간 메시지가 왔다.

<u>서도준 선배에게서.</u>
사진이 있었다. 아주 끔찍한 괴물 사진이었다.

'이경민,

들자 하니 너희 동네 근처까지 왔다며?

몸 조심 해라. 아 그리고 괴물은 배에 벌레가 있어.

그래서 양평도 배에 붕대 찬 괴물들 때문에 괴물이 넘친다나.

그리고 괴물은 가끔 말을 더듬거나 버벅거려. 조심해!'

-도준 선배

나는 이 메시지를 보고 화장실에서 뛰쳐 나왔다.
'유가족이 위험해!'

노파분은 호준 씨와 이야기를 나누고 있었다. 그리고 나와 군인이 들어왔다.

"이제 마지막으로 포옹하고 돌아가시죠"

군인이 말했다.

지금을 노려야 한다. 호준이 나오는 순간, 지금이다.

"휘리릭!"

붕대가 풀리며 모두 놀랐다. 호준의 배가 파여있었다. 노파는 뒷 목을 잡고 쓰러졌다.

"그만해라!"

군인은 마취총을 호준의 머리에 조준했다. 괴물은 내 바로 옆, 군 인에게 달려들었다. 군인은 소리 지르며 말했다.

"XX! 살려줘!"

나는 도망쳤다. 죄책감이 들었지만 우선 나부터 살아야 한다.

.

.

.

나는 메인 로비로 달려왔다.

메인 로비 근처에 화염방사기를 들고 있는 군인들이 있었다.

"이경민씨, 어디입니까? 괴물이 있는 곳이."

무섭게 생긴 군인이 물었다.

"200... 아니 2000호요."

군인들은 다시 괴물이 있는 쪽으로 향했다. 나도 군인들의 뒤를 따라갔다.

"투항하라!"

군인들이 화염방사기를 쏘았다. 강한 열기로 나는 뒤로 물러섰다. 그 순간 군인 한 명이 얼굴을 잡고 쓰러졌다. 군인의 얼굴에 호준의 손에 있었다. 군인은 괴물이 되며 호준에게 흡수되었다.

그 후 군인들은 화염방사기를 더 쏘았지만, 괴물은 쓰러지지 않고 오히려 군인들을 흡수했다.

결국…. 다 죽었다.

"오…. 오지 마!"

나는 테이저건을 내밀었다. 괴물이 돌진했다. 나는 테이저건을 발사했다.

"파지지직!"

괴물은 괴성을 지르며 쓰러졌다.

"죽... 죽은 건가?"

나는 달려갔다.

.

.

.

'어쩌면 이게 처음으로 괴물을 죽인 게 아닌가?'

차 시동 소리가 요란하게 들렸다.

"....얼마 전 광주에서 이모씨가 사건 현장에서 괴물을 최초로 처치하였다고 말했습니다, 강하유 기자?"

앵커의 목소리 뒤로 기자의 얼굴과 경민의 얼굴이 있었다.

"이경민 씨는 어제 오후 2시경 이곳 정신병원에서 괴물로 추정되는 무언가를 테이저건으로 제압했다고 합니다. 어떻게 된 일입니까?"

"괴물이 저에게 달려들어 저는 테이저건을 쏘았습니다. 괴물이 괴성을 지르며 쓰러지더군요."

"네, 다음 소식은...."

뉴스가 광화문 광장에서 흘러나왔다.

아무도 없이 고요했다.

- 양서준의 시점 -

"지금 이치조 대장이 위험하다."

민상이 말했다.

"이치조가 그렇게 쉽게 당하진 않을 거야."

부대장 강현이 말했다.

"23조, 출발한다."

무전기 소리와 함께 출발했다. 나는 무기를 다뤄본 경험이 많지 않다. 경찰인데도 불구하고. 그래서 처음에 왔을 때부터 가지고 다닌 권총만 쓴다. 나는 폭주족이다.

"양서준, 빨리빨리 안가?"

"죄.... 죄송합니다."

내가 폭주족이 된 이유는.....

2022.12.22.

춥고, 배고프다.

나는 서울로 들어와 순찰을 하려 했다.

의문의 실종전화를 받고.

"XX... 그 전화만 쌩깠으면...."

그 순간 어떤 사람이 나에게 말을 걸었다.

"오마에.... 다레다?"

일본인인 듯했다.

나는 일본어를 배워 안다. '너 누구냐' 라는 뜻이다.

"니호진."

이방인이라는 뜻이다.

그 이후 나는 이치조 무리인 폭주족에 들어갔다. 하지만 아직 동료가 없다. 정확히 말하자면 나를 왕따시키듯 대한다. 원래 이치조 무리에 들어가려면 이치조 무리와의 싸움에서 이겨야 한다. 그 경기가 딱 죽기 전까지만 싸우는 거라 대부분 꺼려한다.

하지만 나는 특이 케이스다. 아무 전투도 없이 들어와선 밥만 축내니 나였어도 내가 꼴 보기 싫었을 거다.

"양서준... 저 XXX. 이치조는 저런 애를 왜 받은 거야?"

"나도 몰라. 어쨌든 별로네"

그렇게 나는 자연스럽게 무리에서 외면당했다.

"사…. 살려주세요...."

"이방인이면 값을 치러야지..."

나는 싸워본 적이 없다. 싸운 걸 본 적도 없다. 나는 폭주족들 사이를 비집고 들어가 앞을 보았다.

"크크! 이 할배가!"

폭주족이 각목으로 노인을 때리고 있었다. 노인의 틀니가 빠져나가자 폭주족들은 소리 내며 웃었다. 나는 그 광경을 보고 뒤로 자빠졌다.

"왜 그래? 맞는 거 처음 봐? 그저 돈을 안 내는 사람을 혼내는 거야."

나는 분노가 차올랐다.

"이 XX들아!"

나는 권총을 집어 들어 부대장의 머리에 조준했다. 폭주족들은 움찔하며 뒤로 물러났다.

"다...다 꺼져..... 다 꺼지란 말이야!"

나는 권총을 하늘 위로 쏘려 했다. 그 순간 부대장은 내 팔을 잡고 꺾었다.

"으...으아악!"

폭주족들은 환호성을 질렀다.

"왜 나대. 죽으려고 안달 났으면 죽여 줘야지."

부대장은 총을 들고 내 머리에 조준했다.

"탕!"

머리가 뜨겁다. 피가 흐르고 있었다. 비도 오고 있다. 인생이 주마등처럼 스쳐 지나갔다.

누가 나에게로 다가오고 있었다. 그리고 내 양쪽 어깨를 잡고 끌고 갔다.

"뭐... 뭐 하는 거야.."

그들은 내 주머니를 뒤졌다.

"흐흐... 이것봐…. 라이터다…. 담배 피울 수 있겠다."

"이놈 옷도 좋아 보인다. 가져가자."

그들은 내 외투와 라이터를 가져갔다.

"사...살려 주세요..."

가느다란 목소리로 말했다.

그들은 붕대를 던지고 따라오라는 손짓을 했다. 나는 그들을 따라 갔다.

"뭐해. 안 꺼지고."

덩치 큰 남자가 말했다.

"야, 오라는 게 아니라 알아서 해결하라고 XX아"

마른 남자가 말했다.

"네...."

나는 근처 편의점에 몸을 숨겼다.

.

.

.

'어디서부터 잘못된 거지...'

갑자기 머리가 지끈거렸다. 문득 그 생각이 떠올랐다.

서울에 들어가기 전, 정확히는 23일 전.

"128번 양서준님 들어가세요."

간호사의 말에 나는 진료실로 들어갔다. 의사는 방독면을 쓰고 있었다.

"왜 방독..."

가스가 흘러나왔다. 숨이 막혀왔다.

이후 기억은 없다.

'얼마나 시간이 지난 걸까....'

'왜 죽지 않는 거지?'

내 머리를 더듬어 보았다. 하지만 내 머리는 더 이상 내 머리가 아니었다. 벌레가 징글징글한 얼굴이었다.

"이게 나라고?"

나는 충격을 금치 못했다. 벌레는 머리에서 왼쪽 팔까지 타고 내려갔다. 왼쪽 손에서 알 수 없는 힘이 느껴졌다. 이 정도의 힘이라면 이치조를 죽일 수 있다.

"이치조... 그리고 그 무리를 죽인다."

이게 경찰의 의무지. 사회의 안전을 방해하는 악을 처단하는 게. 그런데.... 이치조가 어디 있는지 어떻게 알지?

우선 걸어야겠다. 가만히 있으니 몸이 근질거렸다. 그리고 보니 몸이 왜 이러는지 모르겠다.

아마 그 가스 때문인가?

그런 것 같다.

목이 마른다.

제7장

은우

"야! 빨리 와 영화 시작한다!"

친구들이 소리쳤다.

"곧 가!"

내가 크게 외쳤다.

나는 전라남도 광주에 산다. 언제나 친구들과 잘 지낼 줄 알았다.

.

.

.

하지만 어느 날...

"정은우! 이제 우리 옆에 오지 마!"

친구들이 말했다.

"왜?"

내가 물었다.

"우리는 아빠 없는 애랑 놀기 싫어!"

친구들이 말했다.

드디어 소문이 났다. 나는 아빠가 없다는 것.

내가 어렸을 때는 미국에 살았다. 아빠는 군인이었다. 특수부대 군인이었다. 아빠는 레인저 연대 소속이었다. 그래서 2003년에 발발한 이라크 전쟁에 참여하게 되었다. 아빠는 그 전쟁에서 전사 하셨다. 그 소식을 들은 엄마는 심리적 충격으로 실어증을 앓기 시작하셨다. 엄마는 아빠가 죽은 후 나와 같이 모국으로 돌아갔다. 그때 나는 초등학교에 입학했다. 그때부터 지금까지 쭉 이 비밀을 숨겨왔다. 하지만 지금 중학교 2학년에 이 비밀이 알려졌다. 나는 이 비밀이 왜 알려졌는지 궁금했다. 그래서 나는 애들한테 물었다.

"누가 그러는데?"

"이규민."

이규민? 이규민은 내 엄마 직장동료의 아들이다.

나는 당장 옆 반으로 찾아갔다.

"야! 이규민!"

"왜."

이규민이 태연하게 답했다.

"왜, 내 부모에 대해 다른 애들한테 말하고 다니냐고!"

"아, 그거 너희 어머님이 내 엄마한테 알려줬는데."

"아니, 그게 아니라 그걸 왜 애들한테 말하냐고!"

"너희 어머님이 오늘 너희 아빠 기일이라는데."

"왜 내 질문에 답을 안 하냐고!"

"끝까지 들어. 그래서 내 엄마가 너한테 심한 장난 하지 말라고 하셔서서 다른 애들한테도 말했는데. 문제 있어?"

"어 있어! 그냥 너 혼자 생각하지, 소문내지 말고."

"알았어. 잘못했어."

"아니 더 잘못 했어."

나는 이규민의 팔에 커터칼로 큰 상처를 냈다. 그 후 옆에 있는 배드민턴 채로 얼굴을 계속 때렸다. 이도운의 팔에서 피가 흐르고 있었고 얼굴은 보라색으로 바뀌었다.

그때 선생님이 들어오셨다.

"뭐 하는 거야!"

선생님이 소리쳤다.

"이건 소년원 각이야!"

선생님이 소리쳤다.

"선생님! 애 사이코에요! 119 불러주세요."

규민이가 피를 흘리며 말했다.

선생님은 즉각 핸드폰으로 119에 전화했다.

"너는 일단 교무실에 가자."

선생님이 말했다.

"너는 나랑 같이 학교 앞까지 가자."

다른 선생님이 규민이를 데리고 나가며 말했다.

"미안해, 내가 좀 심했어."

나는 규민이에게 기어들어 가는 목소리로 말했다. 규민이는 듣지 못했다.

이 일로 나는 다시는 친구를 사귀지 못할 것이다.

규민이는 인싸다. 우리 학교에 엄청나게 큰 이슈가 될 것이다. 운 좋게 소년원에 가지 않는다고 해도 평생 고단하게 살아갈 것이다.

교무실에 도착했다.

"뭐 하는 짓이야."

선생님이 놀랍다는 듯이 물었다.

나는 교무실에서 뛰쳐나왔다. 아직은 엄마가 집에 오지 않았을 것이다. 나는 집에 들어가서 가출할 준비를 했다. 내가 이 사고를 치게 되면 엄마는 짐을 지고 살아야 한다. 이미 죽을 것 같이 슬픈 엄마를 힘들게 하고 싶지 않았다. 나는 지금까지 모은 모든 돈을 담고 집에 있는 에너지바와 초콜릿을 모두 가방에 쓸어 담았다. 봉지라면도 몇 개 챙겼다.

나는 집을 나갔다. 근처에 있는 버스터미널로 갔다. 거기서 이제 노숙할 것이다. 버스 터미널에는 은근히 노숙자가 있었다. 나는 내일 고창으로 올라갈 것이다. 한번 가는 데 5,000원이다. 그렇게 나는 광주 종합 터미널에서 잠이 들었다.

나는 아침부터 버스에 타서 고창으로 출발했다. 나는 핸드폰을 켜 봤다. 알림이 한 70개 와 있었다. 그중 47개는 엄마가 보냈다. 엄마는 나에게 거의 30분마다 문자하고 15분마다 전화를 하고 있었다. 나는 쪽지 같은 것을 남기고 가지 않았다. 나는 엄마에게 문자를 보냈다.

"죄송해요…."

그 순간 엄마의 칼답이 돌아왔다.

"어디니?"

나는 "…."을 치고 핸드폰을 꺼버렸다.

.

.

.

나는 고창에 도착했다. 고창 문화 터미널에 도착했다.

TV에 내 사진이 나왔다. 앵커는 내가 실종되었다고 말했다.

나는 챙겨온 천 마스크를 썼다. 나는 이제 고창에 정착하려고 한다. 그리고 고3이 되면 방사능에 오염된 도시 서울에 가서 죽을 것이다. 이제 나는 5년 동안 여기서 살아야 한다.

나는 어렸을 때 엄마와 함께 고창을 많이 놀러 왔었다. 여기서 1학년 때 수박화채를 엄마와 같이 먹던 기억이 생생하다.

나는 고창의 거리를 방황하고 있었다. 그때 한 엄청 오래돼 보이는 마트 앞에서 멈추어 섰다. 거기 벽에는 전단이 붙어 있었다.

```
직원 구함

18세~40세
계산원, 재고 정리
```

나는 이 전단지를 보자마자 가게 안으로 들어갔다.

"안녕하세요!"

내가 명랑하게 말했다.

"어 내가 못 보던 얼굴이네."

점장님이 웃으며 말했다.

"저 18살인데 이 가게에서 일해도 되요?"

나는 15살이다 나는 거짓말했다.

"허허, 18살인데 키가 좀 작은데?"

점장 아저씨가 웃으며 말했다.

"사람이 키가 좀 작을 수 있죠."

나는 살짝 톤을 낮추어서 말했다.

"하, 그러렴. 여기서 일하렴."

점장 아저씨가 말했다.

"근데 저 살 데가 없는데 빈방 있으세요?"

내가 갑작스럽게 말했다.

"……"

아저씨는 대답이 없으셨다.

"괜찮아요. 일만 할 수 있으면 돼요."

나는 최대한 괜찮다는 듯이 말했다.

"내일부터 일 시작이다. 시간당 7,000원이고 오픈이 8시니까 6시 45분쯤 오면 된다. 점심, 저녁은 여기서 공짜로 먹게 해줄게. 여기 푸드 코너도 있거든. 그리고 퇴근은 11시야. 10시에 닫는데 뒷정리 때문에 1시간 더 있어야 해. 자! 내일 아침 6시 45분에 다시 보자."

점장이 말했다.

"넵, 출근 시간 정확히 지켜서 오겠습니다."

나는 톤을 높여 말했다.

"내 이름은 신지후다. 그냥 사장님이라고 부르렴."

나는 이제 일자리를 얻었다. 나는 이제 잠을 잘 곳을 찾아야 한다. 나는 밤이 될 때까지 거리를 방황했다. 나는 배가 너무 고파서 컵라면을 꺼냈다. 하지만 뜨거운 물이 없었다. 나는 내가 일하게 될 마트로 다시 갔다.

"안녕하세요!"

내가 들어오며 말했다.

"어, 왜 다시 왔니."

"저 저녁으로 컵라면밖에 못 먹는데 뜨거운 물 있으세요?"

"당연히 있지. 여기서 먹고 가렴."

사장님이 뜨거운 물을 주셨다. 나는 푸드 코너로 가서 앉았다. 나는 안양탕면을 열고 뜨거운 물을 안에 넣었다. 나는 3분 뒤 먹기 시작했다. 그때 내 옆에 김치가 갑자기 놓여 있었다. 위를 올려다보니 사장님의 아내분이 계셨다.

"아, 감사합니다. 주실 필요 없는데."

"그냥 먹어. 그리고 이거 줬으니까 이제 언니라고 불러."

사장님이 아내분이 귀엽게 말씀하셨다.

"넹!"

나는 나의 컵라면과 김치를 순식간에 먹었다. 그때 사장님이 다가왔다.

"일주일 동안 저기 있는 소파에서 자도 돼."

사장님이 말했다.

"진짜요. 정말 감사합니다."

나는 피곤해서 바로 잘 준비에 돌입했다. 나는 직원용 화장실에서 양치했다. 그 후 패딩을 이불 삼아 덮고 잠자리에 들었다.

다음 날 아침, 나는 아침 6시에 일어났다. 나는 허둥지둥 양치하고 후드티를 입었다. 그 후 나는 소파에 앉아 핸드폰을 다시 켜보았다. 나에게 문자가 하나 와있었다.

이규민이었다.

"너 어디냐?"

이규민답다. 딱 봐도 사과받으러 왔는데, 없어서 당황한 것일 거다. 나는 규민이에게 답장했다.

"고창. AB 마트. 알바 중."

몇 분 후 답장이 왔다.

"ㅋㅋ 일이나 처하세요"

나는 기분이 심하게 나빠서 핸드폰을 꺼버렸다.

나는 사장님을 만났다. 오늘은 어떻게 하는지 보여주신다고 하셨다. 다 나간 상품들은 박스에서 뜯어서 다시 채워 넣어야 한다. 나는 마트가 열리다 계산대로 갔다.

어떤 할머니가 라면을 사러 왔다. 안양탕면이었다. 나는 안양탕면의 추종자다. 할머니가 계산대로 왔다.

"안녕하세요"

"호호 이 안양탕면 묶음 하나만 줘."

"넵, 저도 안양탕면 좋아하는데."

"그러니?"

할머니가 묶음 중 하나를 주셨다.

"아, 괜찮아요."

나는 손을 저으며 말했다.

"그냥 가져. 어차피 혼자 다 못 먹어."

이게 정인 것인가. 나는 그것을 받고 가방에 쑤셔 넣었다. 다음에 라면땅으로 먹어야겠다. 이런 식으로 아침 빠르게 지나갔다. 사람들이 들어오기 시작했다.

여기 푸드코너는 동네에서 유명하다. 여기는 홍게라면, 해장국이 메인이다. 반찬으로 달걀말이, 홍게 다리 찜을 준비했다. 사람들은 자리에 모두 앉았다. 사장님은 나에게 주방 앞에 있는 서빙 바에서 서빙을 하면서 밥을 먹는 것이라고 했다.

"저희 홍게라면 하나요."

"저희는 해장국이랑 달걀말이요."

나는 요리를 서빙하면서 홍게라면을 먹었다. 나는 직원이다 보니 홍게 다리 하나밖에 없었다. 나는 오더가 없을 때마다 후루룩 마셨다. 우리는 점심시간을 쉽게 지나갔다. 나는 저녁까지 계산대에서 일을 했다.

"아, 드디어 끝났네요."

나는 저녁 장사까지 다 끝나고 말했다.

"허허, 이제 저녁 먹자."

사장님이 테이블에 앉으며 말했다. 저녁은 생선조림이었다. 나는 조금만 먹고 사장님 많이 드시라고 했다.

너무 피곤했다.

빨리 잘 준비하고 뒷정리도 다 끝내고 나는 잠자리에 들었다. 나는 자기 전 핸드폰을 다시 켰다. 문자가 107개나 와 있었다. 별의별 사람들이 걱정하는 사람들의 문자가 와 있었다.

나는 내가 어디 있는지 들키면 안 된다. 그래서 나는 내 페북에
게시물을 하나 올렸다.

"나를 찾지 마세요. 나는 전라도 어딘가"

나는 이것을 올리고 잠자리에 들었다.

몇 년 후….

사장님이 계속 여기서 살라고 하셔서 지금까지 일하는 중이다. 일상은 첫날과 다를 것이 없다. 사장님과 더 친해졌고, 이제 사장님 아내분을 그냥 언니라고 부른다.

이 동네 사람들과도 매우 친해졌다. 하지만 나는 첫날에 안양탕면을 주신 할머니를 또 보지 못했다. 내 가방 속에는 아직도 할머니가 주신 안양탕면이 남아있다. 나는 이제 먹지 못할 것 같다. 나는 이제 고3이다. 중학교를 졸업하지 않아서 고3이라고 보기는 어렵다. 나는 인수분해도 모른다. 사람들은 나를 찾으러 오지 않았다. 그래서 나는 이곳에서 조용히 생활할 수 있었다.

이제 슬슬 19살이니까 서울로 갈 준비를 해야 할 것 같다. 서울은 가본 적이 없다. 내가 한국에 왔을 때부터 폐쇄되어 있었다. 나는 서울에 가보고 싶다. 이제 일을 그만하고 광주를 찍고 서울로 다시 올라가야겠다.

나는 마지막 날 사장님과 작별 인사를 나누었다. 나는 이 마트에서 4년을 살았다. 정말 이 마트와 마을에 정이 들었다. 하지만 이제 가야 한다. 나는 성인이 되어서까지 여기 있고 싶지 않다. 성인이 되기 전에 죽고 싶다. 나는 고속버스를 타고 광주 종합 터미널로 다시 왔다. 나는 엄마에게 문자를 남겼다

"곧 가."

버스에서 내리고 내 집으로 걸어가기 시작했다. 나는 아파트 8층으로 갔다. 비밀번호를 누르고 들어갔다. 엄마는 없었다. 나는 이모에게 전화를 걸었다. 이모가 전화를 받았다.

"은우니?"

"네, 제 엄마 어디 있는지 아세요?"

"어, 바꿔줄게. 내 집에 있어."

"엄마 말 못 하는데….".

화면이 화상 통화로 바뀌었다.

엄마는 울고 있었다.

엄마가 울면서 말했다.

"보고 싶다."

"어디세요? 빨리 갈게요?"

"전주"

나는 당장 버스 노선을 보고 그곳으로 갔다. 나는 버스 안에서도 통화를 했다. 엄마한테 일한 얘기를 들려주었다. 엄마는 내가 좋았다는 말을 듣고 웃으셨다. 통화를 하던 사이에 전주 공용 터미널에 도착했다. 나는 엄마를 보았다. 마중 나와 있었다. 나는 엄마와 부둥켜안았다. 우리는 근처 커피숍에서 3시간 정도 이야기했다.

"이제 갈 데가 있어요"

"어디? 다시 일하러 가니?"

"네"

나는 거짓말 했다. 전주 터미널에 다시 왔다.

지금 서울에서 가장 가까운 폐쇄 되지 않은 도시는 수원이다.

나는 수원으로 출발했다.

대전도 들렀다 갔다. 나는 첫날에 만난 할머니가 주신 안양탕면을 뜯었다. 유통기한이 지났지만, 그냥 먹었다. 나는 다시 버스에 탔다.

수원에 도착했다. 한 남자아이를 만났다. 이름은 손민우라고 한다.

제8장

서울

비가 내리고 있다. 안개 낀 서울은 을씨년스러운 분위기를 내고 있었다.

"서도준…. 만나기만 해봐…."

전시혁은 계속 걸어 나갔다.

갑자기 어딘가에서 굉음이 들려왔다. 비행기 소리였다. 비행기는 강화도 부근으로 날아갔다.

"뭐야…. 드디어 군대를 파견한 건가?"

전시혁은 하늘을 보았다. 빗물이 입으로 들어왔다. 그 순간 누군가 앞으로 걸어왔다.

"서도준?"

전시혁이 소리쳤다. 하지만 안타깝게도 서도준이 아닌 양서준이었다.

"너…. 넌 누구야?"

"내가 지금 누굴 찾고 있는데, 일이 안 풀리네. 내가 화를 잘 못 참아서 말인데. 널 죽일 수밖에 없겠어."

전시혁의 말을 듣고 양서준은 싸우는 자세를 보였다.

"왜 그러는 거지? 분노 조절 장애인 거야?"

전시혁이 달려들었다. 양서준의 머리에 시혁의 팔이 박혔다. 양서준은 죽었다.

"약골이."

전시혁은 다시 뛰어갔다.

- 서도준의 시점 -

미경이를 만나야겠다.

빨리 나가야겠다. 어차피 아무도 누가 준수를 죽이었는지 모른다.

"그러게 왜 불길한 꿈 때문에."

나는 종로 3가 시내를 활보했다.

'여긴 어디지'

앞을 보았다. 계속 아래만 보고 걸어서인가 목이 저렸다. 앞에는 광화문이 있었다. 그리고 전시혁이 있었다.

"뭐…. 뭐야?"

내가 말했다.

내가 말하니까 전시혁은 내쪽을 바라보았다.

"도준아, 네가 이렇게 빨리 올 줄 몰랐어."

"닥처, 이 괴물아."

나는 권총을 꺼내 들었다. 전시혁이 나에게 달려들었다. 나는 피하려다 다리에 힘이 빠져 쓰러졌다. 그 순간 눈앞 화면이 전환되었다. 경찰서 안이었다.

"뭐…뭐지…."

"서도준 경위님, 경위님?"

이 순경이 말했다.

"어...어어"

나는 대답했다.

따르릉, 전화벨 소리가 울렸다. 밖은 여름이었다. 나는 수화기를
내 귀에 댔다.

"서울. 실종사건. 수색 바람."

나는 전화기를 내려놓았다. 전화기는 덜컥 소리를 내며 제자리를
찾았다.

"어디서 전화 온 거에요?"

이 순경이 물었다.

"아…. 그냥 광고 전화야."

이 순경은 알겠다는 듯 다시 아저씨와 대화를 나누었다.

"우리 아들이 서울로 간다는 문자 뒤로 아무 소식도 없어요."

"죄송하지만 아들 성함이…."

"아. 손민우요. 민우."

'민우? 어디서 많이 들어본 이름인데….'

머리가 깨질듯해 기억을 그만하기로 했다.

'그냥 중학교 동창 같은 사람이겠지.'

에어컨 바람이 부는 경찰서는 꿀맛이다.

나는 눈을 감았다.

"경위님, 집에 가서야죠."

이 순경이 말했다.

시간이 벌써 6시였다.

"… 이번 역은 남춘천. 남춘천입니다. 다음 역은 김유정…."

나는 지하철에서 내려 집으로 걸어갔다.

'집이 최고야.'

도어락 키패드를 누르고 안으로 들어갔다. 집에 누워 티비를 보고 있었다. 다먹은 아이스크림 막대만 질겅질겅 씹고 있었다. 그런데 갑자기 티비가 연결 오류가 나더니 꺼졌다.

"네가 있어야 할 곳은 여기가 아니야."

전시혁이었다.

내 눈앞은 다시 장면이 바뀌었다. 전시혁이 내 머리를 부수려는 것이었다. 슬로우모션처럼 보였다. 나는 얼른 몸을 비틀어 피했다.

그 후 전시혁은 여러 차례 공격했다. 나는 권총을 계속 쏘아댔다. 하지만 너무 한꺼번에 많이 쏴서 그런지 권총에 탄약이 걸린 것 같았다.

"이제 끝인 것 같아. 그렇지?"

"나는 앞으로 더 나아갈 거야. 널 죽이고 이 부패한 국가를 내 손으로 파괴할 거야."

전시혁이 말했다.

"갑자기 왜 영웅 행세야?"

"닥쳐!"

전시혁이 팔을 들어 올리자, 나는 재빨리 주머니에서 전기충격기를 꺼내 쏘았다. 그러자 전시혁은 감전되었다. 아니, 감전보다 끔찍했다. 전시혁 몸에 붙은 벌레가 내 몸으로 왔다. 나도 전시혁 같은 모습이었다. 나는 가쁜 숨을 내쉬었다.

'다 끝났어.'

'이제 미경이만 찾아서 돌아가자.'

나는 왔던 길을 되돌아갔다.

저 앞에 미경이가 보였다.

"미경아!"

내가 미경이를 부르자 미경이는 소리 지르며 나에게 권총을 쏘았다. 나는 넋이 나갔다. 쓰레기장에 있는 거울 속의 내 모습은 괴물이었다.

'아무도 나를 좋아하지 않으면 어떡하지?'

그러자 다른 사람들이 생겨나 나를 비난했다.

"엄마, 저거 우리 아빠 아니야."

"여보, 우리 이제 그만하자."

"경위님, 경위님은 살인자예요."

"쓰레기, 네가 다 죽인 거야."

"네가 나 밀쳤어."

"넌 패배자야."

더 이상 밖으로 나가고 싶지 않다. 나는 전시혁 시체 옆에 있는 테이져건을 들고 내 목에 조준했다.

'그만하자.'

방아쇠를 당겼을 때. 여러 사람이 나를 반겨주었다. 그중에는 형도 보였다.

"고생 많이 했네, 이제 좀 쉬라."

형이 말했다.

나는 잠에 들었다.

- 민우의 시점 -

나와 은우는 밖으로 걸어 나왔다.

"정말 힘들었어."

"내 말이."

우리는 아파트 단지 밖으로 걸어갔다.

저기 어떤 여자가 혼자 정자에 앉아있었다. 남미경이었다.

"미경 누나, 왜 혼자…."

남미경 옆에는 누군가의 시체가 있었다. 우리는 미경에게 설명을
들었다.

"서도준……"

미경은 도준을 그리워한 듯했다.

"우선, 이제 우리도 나가야 할 것 같아요."

아까 나올 때 갑의 라디오에서 정부의 공습경보음이 들렸다.

"나도 경보음 들었어. 나가자."

우리는 차 한 대를 훔친 뒤 출발했다.

우리는 구리시와 만나는 암사대교로 넘어왔다. 군사들은 철책을 치고 막고 있었다.

"생존자이십니까?"

"네, 살아 돌아왔습니다."

"고생하셨습니다."

"어서 차에 타세요. 더 이상 이곳에 머무는 건 위험합니다."

"나쁘지 않은 결말인가?"

"뭐, 괜찮네."

"넌 어디로 갈 거야?"

"몰라, 어디든."

"난 엄마한테 갈게, 엄마에게 말 못 했거든."

"불효자 자식."

"크크."

자동차 소리가 울리며 잠이 왔다.

작가의 말

아, 드디어 다 썼네요.

6개월간의 대장정을 거치면서 너무 힘들었어요.

뭐 이게 잘되면 시즌 2도···.

현재 이곳을 읽고 있다는 것은. 책을 다 읽었다는 것이지요.

이 길지....않은 책을 다 읽어주셔서 감사합니다.

그리고 이 책을 같이 써준 우리 도운이에게도 깊은 감사를 표합
니다.

-지금쯤 숙제하고 있을 고서준-

작가의 말

처음에는 대충 50쪽 정도로 끝내려고 했는데,
점점 이야기가 길어져서 어느덧 여기까지 왔습니다.
수정도 엄청나게 한 것 같고요, 때로는 졸면서 해서 기억이 없습니다.
니다.
이제 6개월 동안 고생했던 게 빛을 발하네요.
서준이가 아이디어 뱅크여서 순조롭게 채울 수 있었어요.
준비한 이야기는 여기까지고요, 앞으로 인기가 많다면
2권도 한번..... 크흠.
어쨌든, 같이 써준 서준이와, 이런 기회를 주신 선생님, 부크크
회사, 정말 감사합니다.

-김도운-

오염

발 행 | 2023년 12월 01일
저 자 | 김도운, 고서준
펴낸이 | 한건희
펴낸곳 | 주식회사 부크크
출판사등록 | 2014.07.15.(제2014-16호)
주 소 | 서울특별시 금천구 가산디지털1로 119 SK트윈타워 A동 305호
전 화 | 1670-8316
이메일 | info@bookk.co.kr

ISBN | 979-11-410-5686-5